Malika Ferdjoukh

Quatre sœurs

Hortense — *tome 2*

Médium

l'école des loisirs

11, rue de Sèvres, Paris 6ᵉ

Du même auteur à *l'école des loisirs*

Collection MÉDIUM
Fais-moi peur
Faux numéro
Quatre sœurs : Enid - tome 1
Rome l'enfer
Sombres citrouilles

Merci au CNL pour la bourse sabbatique attribuée à cette
« tétrade » en… 1993 – Au siècle dernier, donc.

À paraître
Quatre sœurs : Bettina - tome 3
Quatre sœurs : Geneviève - tome 4

Pour Véronique aux six sœurs,
et pour Roxane qui a un frère,
en souvenir des loukoums
et du patinage artistique.

L'hiver

1

Le père Noël a une formule 1

Petit bout du journal d'Hortense
(un mercredi en novembre)

Être fille unique, j'aurais adoré. Puis je me rends compte que ça signifie cette chose affreuse: je me serais retrouvée orpheline à la mort de maman et papa, et alors j'ai un frisson.

Pourtant c'est difficile d'être 1 parmi 5, une dans la multitude. J'ai du mal à le supporter des fois. Par exemple ce matin au petit déjeuner, quand Bettina...

*
* *

Ce matin-là au petit déjeuner, Bettina s'écria:

— Vous savez quoi?

Enid, Hortense et Charlie attendirent en silence. Bettina allait leur donner la réponse dans dix secondes. Pourquoi se fatiguer. Seule Geneviève lui répondit:

— Tu vas nous le dire.

C'était bien Geneviève. On lui parlait, elle répondait.

— Dans sept semaines et demie c'est Noël.

— Et alors ? dit Charlie en raflant la pile de bols sales.

— Alors les cadeaux.

Hortense colla sur son index une miette avant qu'elle soit happée par le ramasse-miettes d'Enid. Elle la croqua, objecta :

— Un peu tôt. Les magasins n'ont même pas installé leurs vitrines.

— Les Galeries Réunies, si. Et le numéro de décembre de *Futile* vient de paraître.

— Ah. Alors, marmonna Charlie, si le numéro de décembre de *Futile* est paru !

— Sept semaines et demie c'est long, insista Hortense.

— Pas tant que ça.

— Le Père Noël a des bottes de sept lieues, dit Enid.

— Des rennes formule 1 plutôt ! dit Bettina.

Hortense leva un sourcil. Présage chez elle d'un commencement de surchauffe mentale :

— Trouve un autre prétexte pour courir les magasins, dit-elle à Bettina. Ne compte pas sur nous pour t'accompagner.

Bettina adorait arpenter les magasins avec une escorte. Ladite escorte devait se taire, opiner du chef quand Bettina s'exclamait : « Génial ces bigoudis pour cils, hon ? » ; à l'occasion l'aider à porter les gros paquets et, le soir, opiner derechef du chef quand elle demandait : « Journée géniale, hon ? »

Hortense leva son autre sourcil. Signal d'énervement imminent.

— Hortense a raison, dit Geneviève, on a le temps.

Bettina s'irrita.

— Avec ce raisonnement chou-rave, on se retrouvera au 24 en oubliant que c'est le 24...

— Mme Brogden! s'illumina Charlie. Je savais que j'avais oublié un truc!

— Mme Brogden vient pour Noël?

— Non...

Charlie vérifia l'heure: plus que quarante minutes. Elle farfouilla dans la boîte à clefs (ex-boîte-de-p'tits-beurres) décorée de Pinocchio violets, en expliquant à toute vitesse:

— Elle prête sa maison à des amis dont la gamine a été très malade. Elle vient ici en convalescence avec une infirmière. La gamine, pas Mme Brogden. Compris? Tiens, Geneviève. Les clefs. Tu iras aérer et chauffer avant qu'elles arrivent?

M. et Mme Brogden étaient les parisiens propriétaires du n° 6 de l'impasse de l'Atlantique. Ils y passaient l'été. Le reste de l'année ils confiaient aux Verdelaine la garde des clefs.

Charlie enfila la canadienne offerte par ses parents l'hiver qui avait suivi son bac (voilà cinq ans), lustrée aux coudes, aux poches, et aux coutures noircies; elle agita les doigts, lança à ce soir les filles, un bisou à la ronde, et sortit.

Puis repassa la tête:

— Nanouk Surgelés livre ce matin. Il faut une permanence. Sortez pas toutes en même temps.

Elle disparut.

Sitôt que sa voiture eut franchi le double porche couvert de lichen, Bettina se versa un deuxième thé, se confitura une Krisprolls. Elle extirpa de la réserve à bûches le numéro de décembre de *Futile*.

— Comment peut-on lire des âneries pareilles ? demanda Hortense.

Ni dédain ni mépris. Qu'une gigantesque compassion.

— C'est vrai, comment ? admit Bettina dans une intonation dangereuse.

Elle lut le sommaire à voix haute :

— Page 22, « Comment le rendre dingue amoureux ? » En effet ÇA NE PEUT PAS te concerner, Hortense ! En revanche, tiens, cet échantillon de shampooing pour cheveux gras te concerne terriblement, je te l'offre. Page 66, « Mannequin, pourquoi pas toi ? » Hummm, non, vraiment pas toi, Hortense… Page 47, « Es-tu une serial charmeuse ? » Si tu veux connaître la réponse je te prête cette ânerie, conclut Bettina avec amabilité. Hortense était rouge vif, prête à éclater. Geneviève émit un petit clappement de langue.

C'était le moment où Enid se demandait si elle passerait l'après-midi à la piscine avec Gulliver ou bien chez Sidonie à la ferme où les chatons de la Zaza étaient nés. À moins d'aller d'abord à la ferme avec Gulliver, ensuite à… ? Des cris et des éclats l'arrachèrent à ses conjectures.

— Espèce de bourrique ! hurlait Hortense. Bécasse ! Arrête de m'humilier !

Ingrid et Roberto désertèrent le coin de cheminée avec des airs de reproche. Bettina reprit sa lecture, la mine toujours affable.

— « Que portes-tu pour dormir ? A : un tee-shirt défraîchi. B : une jolie chemise en satin. Ou C : ton parfum préfé... » ?

— Tu vas te taire ! hurla Hortense qui éclata en sanglots.

Geneviève prit Hortense dans ses bras.

— Ne te mets pas dans cet état. Tu vois bien qu'elle te fait enrager. Tais-toi Bettina.

— Tais-toi Bettina, dit Enid.

— « Te fais-tu régulièrement de nouveaux amis ? » continua Bettina, imperturbable. « A : Oui tu es bien dans ta peau et tu aimes connaître des gens nouveaux. B : Tu as déjà plein d'amis et... »

Le paquet de Krisprolls fonça droit sur la joue de Bettina où il explosa dans un bruit de chapelure. Bettina écarquilla les yeux. Hortense fit demi-tour et sortit de la pièce en courant. Silence.

— Cette fille n'a aucun humour, dit Bettina en se frottant la joue.

— Et toi aucun tact, rétorqua Geneviève en ramassant le paquet.

On klaxonna dehors. Enid bondit à la fenêtre.

— Nanouk Surgelés !

Elle alla ouvrir au livreur, un garçon de quinze, seize ans.

— Salut ! dit-il. Livraison de l'Abominable Homme des Glaces.

Se moquait-il de lui-même ? Il n'avait pas tort.

Au premier abord, il était difficile de lui trouver autre chose qu'un grand sourire et de beaux cheveux blond clair, car le reste semblait d'une extrême laideur. Bettina, la plus critique, nota les beaux cheveux en question, les dents bien alignées, mais aussi, les grandes oreilles, le long nez, le long menton, l'élevage de points noirs sur le nez et le front.

— Cinq cartons. Je les pose devant le congélateur ?

— S'il vous plaît, dit Geneviève. Par là.

L'Abominable Homme des Glaces repartit au camion Nanouk où le chauffeur lisait le journal. Il revint avec deux cartons dans les bras. Ses oreilles étaient si décollées que, de profil, on avait l'impression qu'il n'en avait pas. Il se pencha vers Bettina replongée dans *Futile*.

— Tordus, ces tests, dit-il. Ma sœur, on lui conseille de sortir, d'être moins timorée... Et tu sais quoi ? Vicky va en boîte tous les soirs. Quand elle séchera une sortie, c'est que les talibans seront à Brive-la-Gaillarde.

— Elle a quel âge ? demanda Geneviève.

— Vingt ans.

Geneviève se tut, pensive. Charlie en avait à peine vingt et un quand leurs parents étaient morts. Prendre ses jeunes sœurs en charge si tôt lui avait mangé son insouciance, bousillé ses études de médecine et une belle part de sa jeunesse. Irrattrapable.

Bettina aussi était songeuse, pas pour les mêmes raisons. Cet Abominable Homme des Glaces ressemblait à Spooky le copain sympa-moche de la série américaine *Cooper Lane*, le sympa-moche de toutes les séries américaines pour ados, celui qui ne trouve jamais de petite amie, ou alors des sympas-moches comme lui.

Il partit chercher le reste de cartons dans le camion Nanouk.

— Il est rigolo, dit Enid.

— Très gentil, dit Geneviève.

— C'est généralement ce qu'on dit des moches, dit Bettina.

Il reparut avec la facture. Ses yeux se braquèrent à nouveau sur Bettina, qui se détourna. Ce toupet. Avec sa tronche. Elle faillit ricaner de mépris.

— Je m'appelle Merlin, dit-il.

Il promena la main sous une chaise et fit apparaître un sachet de fruits de la passion surgelés.

Ce culot! Cette façon! Je m'appelle Machin (non, Merlin) comme s'il s'adressait à elle toute seule! Comment ce… ce Spooky de série télé osait-il être effleuré par l'idée qu'elle pouvait, elle, résolument ravissante, lui accorder une miette d'attention? Com-ment o-sait-il!!

— Merlin! s'écria Geneviève. Et tu fais de la magie? Alors tu es l'Enchanteur, pas l'Abominable!

Il sourit. Ce sourire était ce qu'il possédait de plus surprenant. Et il fallait convenir que c'était le plus joli sourire du monde.

— Tiens, dit Geneviève en lui donnant un pourboire. Tout ce que j'ai comme monnaie.

Il fit jaillir une rose en tissu d'une boîte de cœurs d'artichauts gelés.

— Parfait, dit-il dans un rond de bras illusionniste. Quelques cours de magie et je transformerai ces pièces en billets.

Il les quitta dans un effet de manches à la Houdini.

— Un rigolo, dit Enid.

— Oui, dit Geneviève.

— Ce qui ne le rend pas plus beau, conclut Bettina.

— Et toi pas plus aimable, rétorqua paisiblement Geneviève.

*
* *

Petit bout du journal d'Hortense
(samedi)

Au fond, si Bettina m'énerve autant c'est parce que je lui envie un tas de choses que je n'ai pas. Que je n'aurai jamais. Exemple: sa façon cruellement légère de dire: «Si tu ne viens pas à Bettina, ce n'est pas Bettina qui ira à toi!»

Elle n'est pas la plus jolie de nous toutes. La plus belle (après Charlie bien sûr), c'est Geneviève (mais elle ne le sait pas, c'est là son charme). Non, Bettina a un visage vif, un œil piquant, elle fait songer à du pointu, à de l'étincelant, une aiguille. Un poignard. Ciselée, séduisante, très gaffe-à-vous.

Elle sait être gentille... lorsqu'elle ne veut pas avoir l'air d'être méchante.

La plus belle, dis-je, c'est Geneviève. Elle est très féminine, c'est la blonde de la famille (excepté maman, mais ça ne compte plus maintenant). Elle a aussi de beaux seins, elle les cache mais je les ai vus l'autre jour quand elle a défait sa chemise avant la douche. Ses yeux sont noirs, comme la dame dans la tour du poème de Gérard de Nerval qu'on a étudié l'an dernier «El Desdichado». C'est magnifique des cheveux clairs avec des yeux sombres.

Mais au fond, c'est moi la Desdichada. La déshéritée. La sans-rien. Je ne sais pas à qui je ressemble.

Pas à maman qui était gaie. Ses petits pieds ronds dans ses souliers plats. Ses pantalons à trop grandes fleurs. Ses frisottis, ses robes larges. Je devrais dire: je ne sais pas à quoi je ressemble. À rien. Je ne ressemble à rien.

Pas à papa. Papa qui demandait pourquoi on ne bâtissait pas les villes au bord de la mer, puisque l'air y est propre. Papa qui aimait tellement les gens.

Les gens, je n'aime pas tellement. Enfin, ça dépend lesquels. Si Bettina n'était pas ma sœur, je ne lui accorderais pas un regard, elle n'aurait pas plus d'intérêt pour moi qu'une de ces niaises de ma classe. Un exemple au hasard: Ursula Mourletatier. La conne royale. Bettina – pardonne-moi Bettina – aussi est conne.

Problème: c'est ma sœur.

J'écris depuis MA falaise.

*
* *

Le vent sur la falaise n'était pas fort mais très froid. Hortense donna un tour supplémentaire à son écharpe bleu rose vert. Elle ne détestait pas le froid sur ses joues, la peau qui tirait, les larmes qui sortaient. Elle tapota son crayon contre son incisive en fixant le large.

Elle verra, se dit-elle. Quand je serai grande, célèbre et admirée, Bettina se rendra compte.

De quoi?

Hortense hésitait entre trois ou quatre avenirs : architecte de monuments éternels. Zuleika Lester de *Cooper Lane* à la télé. Chirurgienne pour malades incurables qu'elle serait seule à pouvoir sauver.

Ou comédienne. Oui, c'était le métier parmi tous qu'elle préférait. Elle rangea son crayon et son cahier dans son manteau.

Elle se trouvait sur le promontoire creusé en panier de chien. Quand elle y était assise comme ça, adossée au roc, personne ne pouvait la voir. Excepté les mouettes, les macareux et les goélands qui la survolaient, leurs ailes comme des ancres, leurs pattes comme des coquilles Saint-Jacques.

Comédienne. Le vent de l'océan grossissait ses larmes, frisottait ses cheveux coupés. On distinguait jusqu'au phare de Potron-Soufflant contre les nuages foncés. Elle tira son bonnet bien fort sur ses oreilles. Elle respira, et jeta par-dessus le promontoire sur les flots :

Sois désormais le Cid, qu'à ce grand nom tout cède,
Qu'il devienne l'effroi de Grenade et Tolède...

Derrière, on battit des mains.

Et l'on éclata de rire.

Hortense se retourna avec colère, prête à incendier Bettina qui avait osé la suivre jusqu'ici pour se moquer d'elle...

Ce n'était pas Bettina. Ni aucune de ses sœurs. La fille devant elle était une inconnue.

— Salut ! dit la fille. Continue, c'était pas mal.

Malgré son air rieur, elle semblait sincère. Elle expliqua :

— Je rigole parce que c'est trop marrant ici pour, hum, déclamer Corneille.

Elle avait une voix basse, assez agréable. Ses cheveux châtains étaient pincés de chaque côté (bien que plus courts que ceux d'Hortense) par une barrette en forme d'hippopotame vert.

— En fait, reprit-elle, c'est l'endroit idéal. *Top of the world*. Corneille sur la falaise et les mouettes dans le ciel… Complètement Seine-et-Marne !

Et l'inconnue partit dans un fou rire. Hortense eut l'impression, pour la première fois de sa vie, d'entendre quelqu'un qui proférait des choses plus étranges qu'elle. Elle sourit.

Y a rien d'plus beau
que d'être dans l'show
business, j'connais pas
d'autre business plus beau !…

— Corneille aussi ?

— Marilyn Monroe.

Elles éclatèrent de rire.

— J'aurais aimé être comédienne plus tard, dit la fille aux hippopotames verts.

— Tu dis ça comme si tu avais quatre-vingt-dix-neuf ans.

— J'ai plus que ça.

Elle lui coula un regard en biais :

— C'est ta maison, là-bas ?

— La Vill'Hervé. Oui.

— Oh.

Après un silence empli de vent et de mouettes, elle dit :

— Laisse-moi deviner. Tu n'es pas Charlie. Tu n'es pas Enid…

— Je suis Hortense. (Frappée d'une illumination :) Muguette ? C'est toi la locataire des Brogden ?

— À titre gracieux, ils sont copains avec mes parents. Et je n'y habite pas seule, j'ai une Zerbinski pour me garder.

— Une Zerbinski ? Ça consiste en quoi ?

— En un mélange de cuirassé Potemkine, de bistouri, de carabinier, d'éther, avec un soupçon de papillon de nuit.

— Ta chienne pitbull ?

— Mon infirmière.

— Elle est si horrible ?

— Pire. Tarn-et-Garonne.

Elle rit et ajouta :

— Je l'aime beaucoup mais, comme elle ne le sait pas, ne lui répète pas.

Quelle drôle de fille.

— Tu suis des cours de théâtre ? continua Muguette.

— Non.

— Pourquoi pas ?

— Euh…

— Si tu as envie de jouer des textes, il y a d'autres endroits que cette falaise.

Une série de frissons secoua la drôle de fille aux

cheveux courts, des dizaines de frissons. Sa tête grelottait sur son cou tout maigre et les hippopotames verts avaient soudain l'air de peser autant que des vrais.

— J'ai froid. J'ai tout le temps froid *maintenant*. Je rentre.

Elle quitta la falaise sans saluer Hortense, en sautillant drôlement sur une jambe.

2

Un amant, maman ?

De retour de la falaise, Hortense trouva Geneviève assise, occupée à se masser un lobe d'oreille entre le pouce et le majeur. Signe qu'elle bouillait d'exaspération (mais il fallait bien la connaître pour le savoir).

— Ah, te voilà ! dit-elle d'un ton uni.

Elle souleva son sac de sport qui était prêt depuis si longtemps que Roberto s'y était installé pour dormir en rond. L'air las, il partit rejoindre Ingrid sous le Macaroni, l'escalier tordu de la Vill'Hervé.

— Je t'attendais pour qu'Enid ne reste pas seule ici, soupira Geneviève. J'ai fait des cookies. Dans le placard. Étagère du haut.

— J'étais sur la falaise. Fallait m'appeler.

— J'aurais bien fini par le faire.

— Tu vas garder les jumelles Deshoulières ?

— Mm.

Hortense savait exactement quand Geneviève mentait parce que, justement, elle ne mentait jamais.

Là, elle mentait. Chaque semaine, quand elle

affirmait partir baby-sitter les petites Deshoulières, c'était faux. Hortense était la seule à l'avoir deviné. Mais elle s'en fichait ; elle n'avait, au fond, aucune envie de savoir ce que ça cachait.

Geneviève glissa la tête par la bandoulière de son sac :

— Ça ira ?

Elle culpabilisait, en plus. Qu'elle s'en aille donc ! Hortense adorait quand la maison était vide, qu'elle y était (enfin) seule. Elle accompagna Geneviève à la porte.

— J'ai rencontré Muguette.

— Muguette ?

— La fille chez les Brogden. Quelle maladie elle a ?

— Charlie doit le savoir, dit Geneviève.

Elle envoya un bisou, et enfourcha son vélo.

De fait, les jumelles Deshoulières n'existaient pas. Geneviève avait piqué le nom d'une marque de soupières. Si elle avait parlé des enfants Bonvoisin ou de la petite Élodie Janissaire, la supercherie eût été découverte, forcément, car chez ceux-là elle faisait VRAIMENT du baby-sitting. Mais que craindre de jumelles imaginaires ?

Elle arriva en ville vingt minutes plus tard, roula jusqu'à la rue George-Apley, et s'engouffra dans la cour d'un immeuble bas. Elle gara le vélo, poussa une porte où sur une plaque en plexiglas orange on lisait ces mots mystérieux :

QOL MOI NAT
Muay Thaï (boxe thaïe)

23

Dans la salle d'entraînement, M. Qol Moi accueillit Geneviève avec un sourire, et un de ses gestes élégants.

Geneviève enfila sa tenue au vestiaire et elle alla faire son échauffement en salle. M. Qol Moi la rejoignit :

— On travaillera au paos tout à l'heure.

— Après le sac ?

— Bien sûr.

— Ça tombe bien. Je suis hyper-énervée.

— Tes sœurs ?

— Qui d'autre ?

— Après la séance, répondit M. Qol Moi avec son drôle de sourire qui se voyait à peine, ton moral et tes mollets seront en acier. Mais d'abord, relaxe-toi. Mets la musique et fais ton *ram muay*.

— D'accord. (Geneviève fit une grimace.) Mais pas avant ÇA !!...

La rotation de son buste donna toute sa puissance au coup. Geneviève percuta le cuir d'un crochet foudroyant. Elle se sentit beaucoup mieux.

*
* *

— Ma mère a déjà eu un amant, murmura Béhotéguy.

— Ta mère ? s'exclama Bettina.

— Ta mère ? s'exclama Denise.

— Tu veux dire...

— Ma mère, oui.

— Un vrai amant ?

Béhotéguy soupira. Elle roula au-dessus du nombril le tee-shirt qu'elle venait d'enfiler devant le miroir.

— Quand on couche avec quelqu'un qui n'est pas son mari, c'est qu'on a un amant, non ?

— Ton père le sait ?

C'était *Fringues Afternoon* dans la chambre de Denise. Les trois amies s'échangeaient des vêtements qu'elles essayaient à tour de rôle. La moquette offrait une implacable ressemblance avec une place de bal au lendemain du 14 Juillet.

— Et toi ? Comment tu sais ?

— Ils en parlaient, un soir. Je les ai entendus. À ce que j'ai compris, ça se passait quand j'avais huit ans. Mais ça m'a fait bizarre d'apprendre un truc pareil.

À Bettina et Denise aussi, ça faisait bizarre. Difficile d'imaginer la très convenable Mme Permoullet, maman de Béhotéguy, dans pareil désordre amoureux. Bettina lui trouvait l'air d'un jeune homme mûr avec ses cheveux pâles si courts qu'on pouvait la croire chauve de loin, ses cols mousquetaires, ses lavallières Scaramouche… Elle qui obligeait tout le monde à la suivre au temple le dimanche.

— Comment ça s'est terminé ?

— Ben tu vois, ils vivent toujours ensemble.

— Je suppose qu'ils se sont expliqués.

— Ou qu'ils s'aiment moins. Ou qu'ils s'en fichent. Ou les deux, murmura Béhotéguy après un silence.

On frappa. Mme Comencini passa une tête porteuse d'un ample turban en éponge turquoise, puis le reste du corps, dont un bras qui tenait un plateau d'adorables feuilletés au gorgonzola. Elle avait aussi un manteau de vison négligemment jeté sur l'épaule, et elle fumait un cigarillo. Son sourire étincela, tout de rouge et de dents.

— Cette chambrrre ! On se crrroirrrait dans l'estomac d'une chèvrrre ! À prrropos... Tenez.

— Merci maman, dit Denise, mais on ne peut plus rien avaler.

— Complètement rien ! dit Bettina.

— On doit partir, ajouta Béhotéguy. Ce n'était pas un goûter, c'était un... un...

— Un petit en-cas, rrrien de plus ! Pourrrquoi vous n'avez pas amené la *piccolina Inuit* ! Et la *gentilissima Sushi*. Elles, elles aurrraient mangé ma nourrriturrre !

Dans la phonétique toute personnelle de Mme Comencini, Inuit était Enid, et Sushi, Suzy la petite sœur de Béhotéguy.

Elle rattrapa le vison qui s'évadait de son épaule, le fit voler sur le canapé où il rejoignit une demi-douzaine de jumeaux. Sous ses allures de diva, la mère de Denise était couturière-retoucheuse. Elle cousait à domicile les doublures de manteaux haute couture qu'arboraient ensuite des top models et des stars de cinéma. Travail pour lequel elle était très appréciée... et extrêmement sous-payée. Un jour, Denise avait découvert qu'avec la somme de manteaux empilés sur le canapé familial, sa mère aurait pu nourrir la famille pendant dix-neuf ans et quatre mois.

— Vous ne goûtez pas *al mio tiramisù* ?

— Merci, mais il est tard.

— *Non tanto !* s'insurgea Mme Comencini, branlant du turban éponge et traçant des comètes au cigarillo dans l'espace. Je vais en mettrrre dans *una bolsa* et vous l'emporterrrez à la maison. Pourrr *Inuit* et pourrr *Sushi*.

Six minutes plus tard, Denise beugla à sa mère depuis le vestibule :

— Je les raccompagne au coin de la rue !

Bettina enviait Denise et Béhotéguy qui habitaient toutes les deux des appartements en ville. Elle ne détestait pas la Vill'Hervé, mais on s'y sentait loin de tout. Le moindre shopping, ou cinéma, devenait un voyage. Mais dans quatre ans elle passerait son permis, et alors... Elle opéra une brusque volte-face.

Là-bas, en train de traverser la chaussée, il y avait un garçon... Ce garçon... aux surgelés... si laid... Elle ne voulait pas le voir ! Ni lui parler !

Mais lui, il l'avait vue ! Et, à son air rayonnant, tandis qu'il fonçait comme vers la reine de Suède et de Tasmanie réunies, elle comprit que lui avait bel et bien l'intention de lui parler.

3

L'Abominable Homme des Glaces

— Tu me reconnais ?

Bettina, écarlate, se tourna avec une extrême lenteur, ses talons grincèrent. Les regards de Denise et
Béhotéguy passèrent de lui à elle, d'elle à lui, et vice
versa. Et re-vice versa.

— L'Abominable Homme des Glaces ! dit-il,
joyeux.

— Ah... dit-elle.

Avec une petite voix languissante censée symbo-
liser le paroxysme de la désinvolture. Elle ajouta :

— Hyper-Promo ? La semaine dernière ? Le cais-
sier ?

— Nanouk Surgelés. Ce matin. Le livreur.

Il était plus laid que dans son souvenir. Ce nez.
Une ignominie. Ces points noirs. Ces oreilles. Une
abomination. Même si le sourire rachetait. Rachetait un peu.

Bettina garda le silence. Exprès. Il finirait bien
par comprendre. Voir qu'il gênait. La laisser.

Mais non. Il enchaîna sans remarquer l'hostilité :

— J'ai des places pour le film avec Donny Jepp. Ça te dit ?

— Des places ? Bien sûr, dit-elle méchamment. Si tu n'es pas inclus dans le prix de la mienne.

Il rit. Rien ne pouvait décidément rabattre sa belle humeur.

— Hélas si. C'est une invitation pour deux. Impossible d'y aller sans moi.

Il lui fit une grimace non dénuée de malice, et lui tourna le dos, mains aux poches, veste au vent.

Denise renifla d'une narine :

— Il a la pêche, lui, dis donc.

— Moche, dit Béhotéguy. Très.

— Pire on ne trouve pas, dit Denise.

— Dommage pour Donny Jepp.

— Encore que. Au cinéma, tu n'es pas supposée regarder le type assis à côté.

— Il n'est pas complètement antipathique, nuança Béhotéguy.

Bettina s'accroupit pour débloquer son antivol de vélo.

— Les sympas-moches, c'est supportable, dit-elle. Mais uniquement dans les feuilletons télé.

*
* *

Petit bout du journal d'Hortense

Sale coup de la prof de français : elle nous a fait lire un passage du *Berceau volant* à deux voix. D'abord ç'a été Aramis Pardonche en duo avec Audrey, puis moi avec devinez qui... Ursula Mourletatier. La royale conne. Évidemment Mme Latour-Destours ne l'a pas fait exprès, mais ça m'a mise dans un tel état, je veux dire comme d'habitude, d'avoir à parler devant tout le monde, face à Mourletatier en plus! Du coup je ne savais plus où on en était, alors que jusque-là j'avais suivi. Latour-Destours s'est agacée, ça m'a rendue encore plus nerveuse. Première phrase, j'ai cafouillé. J'ai dit «serpette» au lieu de «civette». La classe a ri pendant une semaine (cinq minutes au moins!).

Latour-Destours a dit: «Verdelaine, vous viendrez me voir après le cours.» Ce qui n'a rien arrangé. Je n'ai plus écouté du tout.

À la sonnerie, pendant que les autres sortaient, je suis allée trouver Latour-Destours; son bureau est perché sur une estrade, et donc il m'arrivait à la poitrine et le crâne de Latour-Destours dépassait le mien d'un bon demi-mètre. Elle a fermé le cahier où elle écrivait et rangé ses lunettes.

Latour-Destours ressemble à l'idée que je me faisais, à neuf ans, de Mme de Fleurville dans *Les Petites Filles modèles*: boulette de frisottis roux sur le front, corsage à nœuds, jupe ample dont on se dit qu'elle dissimule des cerceaux et des dentelles. Au reste, notre dialogue fut très comtesse de Ségur. À peu près ceci:

MME LATOUR-DESTOURS (*Gentiment grondeuse*)
Eh bien, Verdelaine! Quand cesserez-vous de bredouiller et de rougir pour une malheureuse lecture?

HORTENSE (*Bredouillant et rougissant*)
Je... Je ne sais pas, madame.

MME LATOUR-DESTOURS (*De même*)

Vous avez le trac, c'est ça? Vous avez peur de parler en public?

HORTENSE (*De même*)

Je... crois.

MME LATOUR-DESTOURS

Avouez que ce n'est pas très rationnel.

HORTENSE

Je... J'avoue.

MME LATOUR-DESTOURS (*Ironique*)

Il existe des moyens pour vous faire parler.

Elle m'a tendu un petit carton crème.

MME LATOUR-DESTOURS

Voilà ce qu'il vous faut, je crois. Même si le but n'est pas de faire de vous la nouvelle Deborah Kerr, ceci vous aidera peut-être. Allez-y de ma part.

Elle s'est levée dans son nuage de frisottis et ses jupons. Elle est sortie. Qui c'était, Deborah Kerr? J'ai baissé les yeux sur le petit carton crème:

ZOLTAN LERMONTOV
cours d'art dramatique
corps, espace, geste, voix

Deuxième fois en quelques jours qu'on me conseillait de suivre des cours de comédie... Un signe?

Peut-être suis-je destinée à devenir Zuleika Lester de *Cooper Lane* après tout.

*
* *

Elle s'arrangeait pour ne pas emprunter le même bus que ses sœurs. Hortense descendit donc seule à l'arrêt. Mais au lieu de prendre l'impasse de l'Atlantique vers la maison, elle coupa à travers la lande et retrouva son cher panier de chien sculpté dans la falaise. Elle jeta son sac sur l'herbe froide et voulut s'asseoir, mais une exclamation l'empêcha :

— Ho ! Je t'ai vue !

Hortense s'agenouilla et rampa jusqu'au bord. Quinze mètres de falaise plus bas, sur la grève à marée basse, Muguette faisait de grands signes. Sa tête renversée riait. Hortense nota qu'elle ne portait pas de manteau.

— T'as pas froid ? cria-t-elle.

Mais le vent projeta sa question vers les terres. Muguette mit la main en cornet devant son oreille. Hortense répéta. En vain. Elle décida de descendre les marches en granit.

— Tu dois cailler, dit-elle quand elle eut atteint la plage.

Muguette était en pull et pantalon, mais pieds nus sur le sable mouillé, sans veste, sans écharpe.

— J'ai pas froid.

— L'autre jour tu disais que tu avais toujours froid. Tu as même ajouté : « Maintenant. »

— Ça dépend. Tu reviens du collège ?

Hortense fit mmm. Elle se demandait si elle allait retirer son manteau, par solidarité, quand Muguette détala brusquement dans un petit jet de vase douce, de sa drôle de manière, en sautillant sur un pied, et en criant quelque chose qu'Hortense ne comprit pas. Elle revint sur ses pas, toujours en sautillant:

— Chiche!

— Chiche quoi? s'énerva Hortense.

— Qu'on se baigne!

Elle riait, mais ça n'avait pas l'air d'une plaisanterie.

— Tu es zinzin! En plein mois de novembre!

La mer glissait entre les rochers avec un bruit de limonade.

— Juste les pieds.

— Quelle horreur. Ici, même en juin, personne ne se baigne. Sauf les touristes norvégiens.

— Quand alors? Quand est-ce que vous vous baignez?

— Trois jours en août.

Muguette lui jeta le même regard que l'autre jour, un regard en rideau opaque.

— Cet été, dit-elle, je serai Meurthe-et-Moselle. Plus là.

— Tu veux dire ici?

— Ici. Partout. Nulle part.

Elle se gratta entre les sourcils.

— Je me baigne, décréta-t-elle.

Et elle marcha vers le rivage où de l'écume flottait comme de la plume, au-dessus des écueils.

— De la barbe à papa ! rit Muguette.

Une vague l'isola au milieu de l'eau. Son pantalon vert foncé devint noir trempé. Hortense frissonna.

— Reviens !

Le vent froid qui venait de l'eau la saisit, la raidit. Hortense retira ses chaussures, ses chaussettes, les posa sur un rocher à l'abri; elle roula son pantalon et s'approcha de Muguette avec précaution.

— Reviens, supplia-t-elle. Tu es complètement... Ille-et-Vilaine !

— C'est moins froid au bout d'un moment.

Le visage de Muguette était bleu pâle. Hortense attrapa Muguette par le coude et la tira vers le sable sec. Muguette se laissa faire.

Elles tombèrent toutes les deux assises sur le sable. Muguette grelottait.

— Prends mon manteau, dit Hortense.

Muguette s'y enroula, fit la marionnette avec une manche.

— Il est triste, ton manteau. Tu portes toujours du bleu marine ?

— Pas toujours. Je l'ai acheté à la mort de mes parents.

— C'est idiot, dit Muguette.

Elle frotta à nouveau l'espace entre ses sourcils. Elle demanda :

— Ils sont morts quand ?

— Il y a presque deux ans.

— Ils étaient malades ?

— Accident de voiture.

— C'est con ton histoire de bleu marine. Du rose, du jaune, ou des fleurs, ça n'empêche pas de penser à eux.

— Je sais. Tu devrais rentrer. Toi aussi tu es toute bleue.

— Pas marine, j'espère.

Elle rit.

— Pas mal ton « Ille-et-Vilaine »...

— C'est quoi la maladie que tu as eue ?

À cet instant, une voix vola par-dessus la falaise. Les deux filles levèrent la tête. Une silhouette descendait à toute allure les marches.

— Zerbinski, marmonna Muguette.

— Le pitbull ?

Mais lorsque l'infirmière s'approcha d'elles, Hortense fut toute surprise. Zerbinski était une jeune femme frêle, aux doux yeux noirs, à la démarche dansante. Elle portait un pull-over blanc et un pantalon en velours grenat.

— Bonjour, dit-elle à Hortense qui se redressait.

Elle tourna la tête vers Muguette qui détourna la sienne, lui tendit le duffle-coat orange qu'elle tenait. Elle dit :

— On rentre ?

Malgré le point d'interrogation c'était un ordre. Elle offrit ses deux mains à Muguette qui s'y accrocha pour se mettre debout.

— Maintenant que Muguette a son manteau, reprends le tien, dit Zerbinski à Hortense. Tu habites la Vill'Hervé ?

Hortense hocha.

— Merci.

Hortense les suivit jusqu'en haut de la falaise. L'infirmière soulevait parfois Muguette qui s'essoufflait. Elle devait être très forte, en dépit de son apparence mince et douce. Puis Hortense comprit que c'était Muguette qui était maigre et légère.

Sur la lande, Hortense bifurqua vers la Vill'Hervé. Mais avant, Muguette lui lança un clin d'œil par-dessus l'épaule de Zerbinski.

4

Je ne veux pas qu'un garçon me lèche la joue

C'était le tour de Bettina d'emmener Enid à la piscine ce mercredi-là.

Dans la cabine, elle lui enfila son bonnet de bain, une copie caoutchouc du casque Transbionic de Shaggaï Mostra, la venimeuse *clonesse* du jeu vidéo.

— À quoi tu penses ? lui demanda la petite.

— Pourquoi ?

— Tu as l'air de penser.

— Ça te paraît si bizarre ?

Question qui ébranla Enid.

— Je me disais, expliqua Bettina, que les mondes du virtuel déploient des cohortes de femelles barbares et de vengeresses fatales et que je me situe bien loin de tous ces modèles !

Enid en resta baba.

— Laisse tomber, enchaîna Bettina, c'est de la philosophie.

Enid tritura son bonnet.

— Ça tire les cheveux. J'en veux pas.

— Tu vas avoir tes allergies aux oreilles.

— J'en veux pas. Enlève-moi-le.

— On dit: enlève-le-moi. Et, non, je ne l'enlève pas.

— Tu n'es pas ma grande sœur.

— Hélas si.

— Non non non, tu n'es pas ma sœur, se mit à chantonner Enid. Moi, ma sœur, MA VRAIE GRANDE SŒUR, elle est très très très gentille.

— Eh bien, on est d'accord: c'est moi.

Elles sortirent enfin de la cabine où Bettina avait sué un quart d'heure à enfiler sa tenue de bain à la petite sœur. Enid fila sur le carrelage. Avec sa coiffe Transbionic Shaggaï Mostra, elle ressemblait à un vaste coquelicot à jambes.

— Attends-moi! lui cria Bettina.

Enid ralentit. Mais uniquement pour que Bettina puisse l'entendre fredonner:

— Ma VRAIE GRANDE SŒUR, elle est VRAIMENT très jolie. Elle porte dix bracelets, quatre en or, deux en argent, deux en émeraude, trois en rubis que je lui ai offerts parce qu'elle est VRAIMENT gentille, et trois en diamants…

— Ça fait quatorze bracelets, fit remarquer Bettina. Pas dix.

Elles arrivaient au bord du bassin. Imperturbable, Enid continua:

— Ma VRAIE GRANDE SŒUR à moi, elle a TELLEMENT d'amoureux qui l'invitent tout le temps, qu'elle ne peut pas dire oui à tous. Alors, à ceux qui téléphonent quand elle est déjà invitée, je réponds qu'elle a mal à la tête pour ne pas leur faire de la peine.

Bettina fut saisie d'un brusque coup de cafard.

— Ah, tais-toi ! grogna-t-elle.

Des nageurs se tournèrent, puis se remirent à suivre les figures d'un plongeur qui s'envolait du tremplin sous la voûte avant de fondre vers l'eau en un piqué royal.

— Regarde ce type, dit Bettina à Enid dans l'espoir de dévier le cours de ses élucubrations.

Enid suivit avec intérêt les évolutions du plongeur. Ce qui ne l'empêcha pas de remettre ça :

— Ma VRAIE GRANDE SŒUR à moi, elle ne crie jamais. Elle sourit toujours. Parce qu'elle est TRÈS contente que je sois sa petite sœur…

Bettina la lâcha, et sauta à l'eau avec ce qui lui sembla être un bruit de vieux paquet. Lorsqu'elle remonta dans un million de bulles, Enid l'observait depuis le bord.

— Tu me fais penser, dit-elle, à ce film où on jetait un mort du bateau, et où…

— Viens ! coupa Bettina. Je vais t'aider.

Elle heurta un nageur qui lui sourit, l'air proprement réjoui.

— Oh ! bonjour !

Elle reconnut en lui le plongeur virevoltant. Puis elle reconnut… Son cœur fit un vol plané.

Pas lui ! Oh non, pas lui ! Pas avec Enid qui les scrutait en ce moment même de ses yeux fouineurs ! Dieu sait ce que la petite teigne irait partout colporter avec ses chansonnettes sournoises. À Denise et Béhotéguy, par exemple, quand elles viendraient à la maison… Horreur.

— Bonjour ! répéta le garçon.

Elle le fixa comme s'il débarquait de la lune. Il sourit, modeste, comme s'il en venait en effet.

C'étaient ses cheveux mouillés. Elle ne l'avait pas reconnu. Pourquoi, justement aujourd'hui, était-il ici ? En ce jour de corvée avec Enid ? OH POURQUÔA ! ?

— Bonjour, prononça-t-elle du bout des dents, ce qui lui fit avaler un peu de piscine.

Elle lui tourna le dos en recrachant. Il la rejoignit d'une brasse.

— Mon invitation tient toujours.

— Mon refus aussi.

Le bonnet d'Enid surgit des eaux et flotta entre eux comme un morceau de plate-bande en fleurs.

— C'est qui ? voulut-elle savoir.

Presque aussitôt elle poussa un cri :

— Je te reconnais ! Le rigolo des surgelés ! Merlin le magicien ! Qu'est-ce que tu fais ici ? Tu nous suis ?

— C'est vrai ça, cracha Bettina, tu nous suis ?

— On habite une ville où il y a une seule piscine et un seul mercredi après-midi par semaine, répliqua-t-il. Tu en déduis quoi ?

— Que cette ville est trop petite, que l'un de nous doit partir.

Il sourit. Vraiment beau ce sourire. On en oubliait les oreilles… les points noirs… le… Holà. Non… Impossible à oublier, le nez !

— J'avais fini, de toute façon.

— Tu pars déjà ? fit Enid. C'est pas à cause de Bettina ?

Sagace Enid. Bettina mit la tête sous l'eau pour cacher sa rougeur. Elle refit surface plus loin et attendit.

... quoi ?

La réponse lui apparut, aussi nette qu'un coup de ciseaux dans un tissu : elle voulait revoir Merlin sourire.

Un peu de brasse indienne lui permit de constater qu'il était sorti de l'eau. Il marchait au bord, Enid courait à sa suite, la petite punaise.

Bettina ne put entendre ce qu'ils se disaient mais elle se jura de passer un savon à Enid pour oser parler ainsi à un inconnu.

Elle le vit effleurer le bonnet Shaggaï Mostra. Une jonquille en plastique apparut dans sa main. Il l'offrit à Enid, puis il la quitta tandis qu'elle sautait dans l'eau rejoindre sa sœur.

– Pour toi ! dit-elle en tendant la jonquille à Bettina. De la part de Merlin.

Bettina écarta la fleur d'un geste, provoquant une mini-houle à la surface de l'eau.

– De quoi avez-vous parlé ? demanda-t-elle.

– J'ai dit que j'aimerais bien plonger comme lui.

– Tu as un cil sur la joue. À gauche.

Bien entendu Enid frotta à droite. Bettina tapota sous l'œil gauche. Le cil tomba dans l'eau.

– Tu veux apprendre à plonger, et alors ?

– J'ai demandé à Merlin s'il pouvait m'apprendre.

– ...

– Il a dit que oui. Il veut bien.

Bettina regarda sa sœur comme si elle avait annoncé qu'elle adoptait un loris d'Indonésie.

Subitement, là-haut, telles deux apparitions sur le mont Olympe, Denise et Béhotéguy surgirent sur la galerie. Bettina jeta illico la jonquille derrière l'échelle.

Elle eut honte de son geste, mais avoir à expliquer la présence de cette fleur eût été pire. D'un regard circulaire elle engloba le bassin. Ouf. Il n'était plus là. Enid barbotait du côté du petit bain. Bettina entama une longueur.

Denise arriva bientôt et lui fit signe, puis Béhotéguy. Toutes les deux plongèrent et rattrapèrent Bettina.

— Tu sais quoi ?

— Quoi ? dit Bettina.

— On en a vu deux qui s'embrassaient.

— Le garçon léchait la joue de la fille.

— Avec la langue.

Elles hurlèrent en chœur :

— Bêêrrkk !

— Et l'oreille aussi !

Elles hurlèrent encore plus fort :

— Bêêêêêrrrrrkkkkk !!

Bettina se promit bien, si un jour un garçon tentait de lui lécher la joue, de lui envoyer une claque gratinée.

Elles s'éclaboussèrent en riant de bon cœur. Béhotéguy se réfugia près de l'échelle. Tout en roulant distraitement sa bretelle de maillot entre le pouce et l'index, elle dit à Bettina :

— Au fait. On a aperçu ton amoureux en arrivant.

— Amoureux ?

Bettina se raidit, se sentit couler. Elle agita les pieds.

— De qui tu parles ?

— Mais si. Celui de l'autre jour.

— Donny Jepp.

— Oreilles-de-Batman.

Denise et Béhotéguy glapirent. Bettina parut frappée d'amnésie.

— Vois pas.

— Ton livreur de surgelés, précisa enfin Denise.

Un temps

— Oh lui ! se souvint Bettina, la voix traînante. Ce n'est pas MON livreur. Encore moins mon amoureux.

Comme elle aurait dit : « Ce n'est pas du tout ma pointure. »

— Il t'observait de la balustrade.

Bettina digéra l'information, surprise de n'être pas si mécontente que ça.

— Tu lèves le petit doigt, il tombe cuit.

— Je ne lèverai pas un cheveu.

— Il a l'air sympa.

— S'il n'était pas si moche…

— Mais il l'est ! coupa sèchement Bettina.

*
* *

Quelque part dans un vieil immeuble du centre-ville, Hortense appuya sur une sonnette. Une jeune

43

fille en minijupe de peluche rouge et en col roulé pied-de-poule ouvrit. Elle tenait *Bajazet* de Racine qu'elle était manifestement en train d'apprendre. Elle regarda Hortense de bas en haut, sans hostilité ni cordialité.

— C'est commencé depuis un quart d'heure. Lermontov va t'engueuler, sauve qui peut, *je vois mon imprudence, je vois que rien n'échappe à votre prévoyance*...

— Je... Je ne suis pas élève. Je viens m'inscrire.

L'autre leva les yeux au ciel et recula pour la laisser entrer.

— Dragica Davidovitch, dit-elle en refermant. *Holà, gardes, qu'on vienne, je n'ai rien à vous dire*... Tout le monde m'appelle Dédée.

— Hortense Verdelaine.

— Pour les inscriptions, c'est Louise... *et ta mort suffira pour me justifier*. Je t'y conduis.

Elles passèrent sous les visages d'Ingrid Bergman, de Geneviève Page, de Claude Rich, de Walter Pidgeon, épinglés aux affiches de *Stromboli*, *Le Cid*, *Désiré*, *Nick Carter*.

Dédée la conduisit jusqu'à une porte, après une longue bibliothèque.

— C'est là... *que tout rentre ici dans l'ordre accoutumé*... Welcome, Verdelaine, dans l'antichambre de l'ANPE Spectacle.

*
* *

Cela débuta par un gratouillis, léger, léger. Enid, qui se confectionnait un building de pain-endive-

Vache qui rit, l'entendit mais elle crut à un borborygme du vieux frigo.

Charlie, dans la salle de bains, se séchait les cheveux. Basile en cuisine pétrissait la pâte pour la quiche du dîner. Hortense, plongée dans *L'Arche dans la tempête* d'Elizabeth Goudge, n'entendait que les fureurs du roman. Le reste de la maisonnée était dispersé dans des coins divers.

En conclusion : le deuxième gratouillis, personne ne l'entendit.

En revanche, les conséquences du troisième furent audibles pour tous.

Le troisième gratouillis. Il se produisit dans le couloir, à l'instant où Charlie, cheveux séchés brossés, cherchait dans le tiroir à couverts une baguette chinoise pour fixer son chignon.

Le gratouillis. Il provint du tuyau d'évacuation qu'hébergeait, comme un ver solitaire, la plinthe du couloir. Charlie baissa les yeux et reconnut séance tenante l'œil rouge qui la toisait.

Elle resta clouée sur place. L'œil disparut prudemment dans les ombres. Un murmure tomba des lèvres de Charlie :

— Mycroft.

Avec incrédulité, dégoût, accablement. Elle se précipita dans la salle à manger pour y jeter ce cri :

— Mycroft !

Mot mystérieux qui possédait une signification familiale évidente puisque aussitôt ce fut l'état d'urgence. Geneviève, Bettina et Enid apparurent,

Hortense lâcha son bouquin, Basile sa quiche. Ce n'était qu'un nom, mais braillé par tous :
— MYCROFT !!!

5

Merlin du soir espoir

En tout cas le mot fut magique pour les deux chats. Ingrid démarra en flèche, allégrement escortée de Roberto : leur ennemi juré pointait le museau !

Mycroft était un rat. De la taille d'un chat. Si retors, si filou, si suprêmement intelligent qu'Hortense l'avait baptisé Mycroft Holmes, frère de Sherlock.

Mycroft était un intermittent du spectacle : il entrait en représentation quand ça lui chantait. La dernière avait eu lieu trois mois plus tôt. Qu'avait-il fait depuis ? Mystère. Mais Charlie fut horrifiée à l'idée de partager à nouveau leur quotidien avec lui. Nul doute qu'il avait de nombreux potes dans les trous de la maison, mais eux, ils restaient discrets : ils s'esquivaient à la moindre humanité.

Mycroft était un fier-à-bras, un peur-de-rien, un m'avez-vous-vu-en-poudre-d'escampette, un ne-vous-gênez-pas-pour-moi-je-me-sers-tout-seul.
Pour résumer : un apache.

On s'arma de pantoufles, d'un *Marie-Claire* « Spécial mode d'hiver », d'une tapette à moustiques, d'un torchon XXL et autres munitions, et l'on partit en guerre.

— C'est de la dynamite qu'il nous faut ! grommela Charlie en constatant que l'arme de Basile était son exemplaire de *L'Ennemi commun* d'Eric Ambler, et celle de Geneviève une grosse tranche de Leerdamer.

— Ou un gigot congelé, chuchota Hortense en pensant à Roald Dahl.

Ils avançaient à pas de Sioux. Ils stoppèrent au seuil de la buanderie. Charlie mit un doigt sur les lèvres.

Silence et immobilité. L'Infâme allait-il craquer le premier ? Il savait faire preuve d'une patience diabolique. Enid sentit se réveiller sa vieille allergie de derrière les oreilles, la méchante, celle avec gratouillage violent. Une crête de poils hérissés sur la colonne, Roberto et Ingrid avaient des poses de tyrannosaures. Silence et immobilité.

Basile se posta en tête, son *Ennemi commun* brandi de toute la grandeur de ses cinquante pages. Le rat planta son œil acajou dans celui du jeune homme et ils s'observèrent.

L'Œil dut regarder Caïn avec cette expression-là.

— Je ne peux pas, dit soudain Basile à voix basse.

Et il laissa retomber sa main avec le livre.

Le Vil entendit... et comprit. Il se réfugia d'un bond sous la console. Charlie laissa éclater son dépit.

— Qu'est-ce qui t'a pris ? dit-elle à Basile. Moins une et tu pouvais l'occire !

— Je... Je n'ai pas pu. Son regard...

— Quoi son regard ?

— Un genre de télépathie, tu vois ?

— Pas du tout. Sois plus précis je te prie.

— Il m'a parlé.

— Hein ? ! Tu laisses la vie sauve à ce rat qui bouffe mes magazines et nos petits-suisses à l'ananas parce qu'il t'a… parlé ?

— Qu'est-ce qu'il a dit ? interrogea Enid très intéressée.

— Qu'il nourrit sa famille. Ses frères et sœurs, sa vieille mère…

— Quoi !! s'écria Charlie. Parce qu'il a AUSSI une famille ? !

Elle regarda Basile, et sourit. Elle ouvrit la bouche. Il ne sut jamais ce qu'elle avait l'intention de dire car on sonna à la porte. Ils se tournèrent d'un bloc. L'Odieux en profita pour achever dare-dare sa retraite sous les tuyaux.

On reposa tapette, *Ennemi commun*, pantoufles, Leerdamer, *Marie-Claire* Spécial, etc. Bettina alla ouvrir.

Un sourire l'attendait sur le seuil.

— Bonjour !

— Bonsoir ! rectifia-t-elle sèchement.

— Je sais : drôle d'heure pour une livraison.

La main sur la poignée, elle fixa Merlin comme on fixe la piqûre qu'un moustique vient de vous faire au mollet.

— Parce qu'il y a une livraison ?

— Oui. Celle que vous n'attendez pas.

— Magnifique. Mais encore ?

Le sourire s'élargit.

— Une livraison ? Quelle livraison ? beugla Charlie depuis le salon.

— Oui, quelle livraison ? répéta Bettina avec hauteur.

— Ici ! Là ! répondit Merlin à tue-tête, en élevant une boîte isotherme au-dessus de sa tête.

Basile apparut derrière Bettina, puis Geneviève, puis Enid qui comprit avant tout le monde :

— Une glace ! hurla-t-elle. Pour nous ?

— Cadeau de Nanouk Surgelés à ses meilleurs clients.

Les occupants de la Vill'Hervé étaient maintenant agglutinés à la porte, mais c'est Bettina que Merlin ne quittait pas des yeux. Enid dévala le perron parce qu'elle venait de repérer le vélo anglais de Merlin. Elle l'enfourcha et se mit à faire de grands cercles dans l'allée.

— Hum, grommela Basile. Neuf heures passées. Ça ne pouvait pas attendre demain ?

— Attendre ? Une glace ? s'indigna Geneviève.

Merlin lui jeta un regard de gratitude. Elle lui retourna un clin d'œil joyeux.

— Elle est à quoi ?

— Vanille, cookie, granduja, caramel, croûte en chocolat, socle de nougatine, cerises au marasquin, pâte d'amandes à la pista...

— Ce n'est pas une glace, c'est la Foire de Paris ! coupa Bettina.

À cet instant précis, l'Infernal jaillit des ombres du couloir, bondit par-dessus des pieds et fila dehors comme une flèche, Ingrid et Roberto à ses trousses. On eut juste le temps de voir un morceau de lard sous sa moustache.

— Mycroft !

— Mycroft ? répéta Merlin. Qui est-ce ?

— Tu ne comprendrais pas, dit Bettina.

— Le Monstre de la maison, dit Geneviève.

— Le Malin de la Vill'Hervé.

— Le Puant, dit Charlie. L'Ignominieux.

— Le Rongeur Démoniaque, dit Basile. Il vient de voler ce qui devait faire de ma quiche un morceau de Mozart.

— Je n'ai vu qu'un morceau de lard, cria Enid sur le vélo.

— C'est exactement ça, soupira Basile.

Charlie lui fit un bisou sur le nez.

— Laisse tomber, dit-elle. Enid ? Rentre immédiatement.

Elle débarrassa Merlin du carton isotherme.

— À quoi elle est déjà, cette glace ?

— Décor à la cerise, dit Basile, morose, fond en cookie, la vanille au caramel et, euh… la pistache au nougat ?

— Du tout ! coupa Hortense, les cerises sont en chocolat, le caramel sous le granduja et…

— Faux ! se récria Enid. Le chocolat est à la cerise, le socle en vanille, et les…

Leurs rires décrurent vers l'intérieur de la maison. Bettina et Merlin se retrouvèrent seuls sous la lanterne du perron.

— On va chasser le Mycroft ? proposa-t-il.

— Trop malin pour toi.

Il marqua un silence. Il leva le menton en direction de l'abri aux bûches. Il siffla en douceur les premières notes d'un concerto de Rachmaninov que Charlie jouait parfois au piano. La nuit ne bougea pas.

— Tu le crois mélomane ? ironisa Bettina.

Il sifflota à nouveau. Schubert cette fois.

On bougea. L'œil pointu perça l'obscurité des bûches. Bettina retint son souffle. Avec lenteur, avec délicatesse, Merlin sortit de ses poches des cacahuètes, une, deux, trois.

Mycroft demeura immobile. Merlin chantonna, à nouveau sur Rachmaninov :

— Ces caouettes sont pour toi... viens donc les chercher... viens...

Il les lança une par une. Vif comme l'éclair, le rat les attrapa toutes et regagna son abri.

— En quoi nourrir l'ennemi est-il une victoire ? s'enquit Bettina.

— L'affamer n'en est pas une non plus. Dans le fond, cet animal vous aime.

— Pardon ?

— Pourquoi prend-il autant de risques pour se nourrir alors qu'il pourrait faire ses courses, pépère, dans un grenier de ferme ou une grange bien remplie ?

Bettina ne trouva rien à redire à ça. Elle frissonna.

— Et toi ? reprit Merlin. Pourquoi tu restes à te geler en ma compagnie alors que tu m'as fait comprendre cent fois que je ne suis pas assez beau pour toi?

Elle rougit. Sans trouver davantage de réponse.

— Mon invitation au cinéma est encore valable, dit-il. Mais plus pour longtemps.

— Oh, dit-elle. On se bat au portillon pour t'accompagner?

— Non. Mais sa validité est limitée.

— Invite quelqu'un d'autre.

— C'est avec toi que je veux y aller.

Elle le scruta. Et se surprit à devoir chercher des défauts que jusqu'ici elle voyait au premier coup d'œil. Elle se gratta la joue, croisa les bras. Ce devait être la lanterne... Toute brunie par les poussières, les pluies, les crottes d'insectes et d'oiseaux, elle adoucissait l'air d'un tendre halo orangé.

— Mercredi? souffla-t-il.

Elle sentit son cœur gigoter sous ses bras croisés.

— D'accord. La séance de quatre heures, dit-elle tout bas.

Il lui décroisa les bras, prit ses deux mains. Il se pencha comme s'il allait l'embrasser, mais il ne l'embrassa pas. Il chuchota:

— Laisse sa chance à Mycroft. Les hideux gagnent parfois à être connus.

Il se pencha à nouveau. Il ne fit que sourire, de ce sourire qui noyait le cœur.

— Salut.

Il monta sur le vélo anglais, fit une acrobatie qui le fit ressembler à un avion sur sa piste d'envol, puis il disparut vers la grille.

— Alors ? s'enquit Charlie quand Bettina les rejoignit. Il s'est carapaté ?

— À vélo.

— À vélo ? Mycroft ?

Bettina la regarda gravement.

— Mycroft nous aime. Il pourrait faire ses courses, pépère, dans une grange. Mais il aime cette maison. Comme nous. Laissons-lui une chance.

Charlie haussa un sourcil ébahi, adressa à Basile un petit geste rond qui signifiait qu'elle doutait du mental de sa cadette. Enid, elle, fredonna des paroles sans queue ni tête où il était question d'une sirène (avec queue et joli minois) qui se trouvait un amoureux dans une piscine.

*
* *

Petit bout du journal d'Hortense

Je suis nulle nulle nulle nulle nulle nulle nulle nulle nulle nulle nulle nulle nulle nulle nulle nulle nulle!

J'ai participé ce soir à un cours de théâtre pour la PREMIÈRE et DERNIÈRE fois de ma vie! Me suis jamais sentie aussi ver de terre.

Lermontov enseigne l'art dramatique depuis trente ans. Avec un nom pareil, j'attendais un type de quatre mètres de hauteur sous plafond. Pas du tout. C'est un court bonhomme aux joues rouges, la lippe pendante qui donne envie de lui faire beuleup-beuleup comme à un bébé, un peu asthmatique, et de lourdes paupières de tortue qui lui font un air chinois.

Quand je me suis inscrite, il ne m'a même pas saluée.

— Votre nom ?

— Hortense Verdelaine.

— Vous êtes jeune.

— Douze ans.

(Vrai dans quelques mois.)

— Pourquoi voulez-vous apprendre la comédie?

À cause de Zuleika Lester dans *Cooper Lane*. J'ai bredouillé:

— Parce que je... je ne sais pas jouer.

— Un motif comme un autre.

Je me suis sentie imbécile et désolée de n'avoir pas de réponse plus brillante.

— Asseyez-vous et observez.

Ce que j'ai fait. Je me suis blottie contre le mur, sur un strapontin loin des lumières. Sur scène il y avait deux filles et deux garçons. Ils me paraissaient magnifiques. Une des filles s'est brusquement mise à pleurer. On aurait dit la fuite dans le grenier de la tour à la Vill'Hervé un jour de grand orage. Top du top dans le genre larmes.

Moi, je ne saurai jamais pleurer. Moi, pour que je pleure, il faut me rouer de coups. Le dernier coup que j'ai reçu, c'était la mort de maman et papa. Et encore: je n'ai pas pleuré tout de suite. Trois semaines pour que je comprenne.

— Inutile de nous inonder, Luna Pellicer! a tonné Lermontov. Araminia est un personnage sensible mais sans sensiblerie! La faire pleurer devant l'homme qu'elle aime est un contresens!

Sur la scène, Luna la pleureuse (environ dix-sept ans) a vite séché les larmes indésirables, qu'elle a échangé contre un petit air contrit.

— Araminia a du chagrin! a-t-elle objecté.

— Les larmes sont-elles l'apanage de la tristesse? Le cœur d'Araminia saigne. Elle meurt de chagrin. Mais des larmes, ah non non non! Recommencez, Pellicer!

Comme ça jusqu'à la fin. Chaque fois j'avais l'impression d'être devant les acteurs les plus doués de la terre et vlan, Lermontov fichait tout en l'air.

Il n'avait pas tort. Car, à la fin du cours, Araminia semblait plus intelligente, plus subtile, plus… poignante. C'est la salle qui pleurait.

Quelqu'un est venu s'asseoir à côté de moi. C'était la fille qui m'avait accueillie l'autre jour, Dragica Davidovitch, Dédée. Encore plus ravissante avec des collants rose et vert, que moi je ne porterai jamais même seule dans une cave, et un genre de tutu vert qui la situait quelque part entre Robin des Bois et Peter Pan.

— Il est génial, hein? a-t-elle soufflé.

Je ne sais pas. Mais j'avais soudain conscience de ma platitude, de ma transparence, de mon VIDE TOTAL. Ça ne me disait plus rien d'être décortiquée par l'œil de tortue de Lermontov, de venir l'affronter trois fois par semaine. Si les larmes d'Araminia lui semblaient exécrables, comment allait-il me trouver, moi?

Voilà. J'étais venue. J'avais vu. Ne reviendrais plus.

C'est ce que je venais de décider quand Lermontov s'est retourné subitement vers moi et m'a tendu un livre:

— Tenez, Verdelaine. *Le Petit-Maître corrigé* de Marivaux. Pour la prochaine fois, étudiez cette scène-ci…

J'ai ouvert la bouche pour lui expliquer que ce n'était pas la peine, que je ne reviendrais pas. Rien pu dire.

Je suis nulle, nulle, nulle, nulle, nulle, nulle…

6

Cinéma et duplicité

Un : éplucher les horaires pour arriver en retard exprès au cinéma. Deux : s'éclipser en douce de la Vill'Hervé pour éviter les questions gênantes. Trois : être moche, mais alors moche moche [1]

Bettina accomplit sans mal le un et le deux. Elle partit sans être vue et arriva au Kino-Multiplex avec seize minutes de retard. Mais lorsqu'elle reçut le sourire admiratif et ravi de Merlin depuis la file où il l'attendait, elle comprit que, malgré ses efforts, elle ne réussirait jamais à le persuader du trois.

Vite. Un aperçu des cinq files d'attente… Parfait, elle n'y connaissait personne. Alors seulement elle avança à découvert.

— J'avais peur que tu changes d'avis, dit Merlin.

Elle aurait pu. Une petite voix le lui avait même suggéré. Mais elle voulait voir le film. Unique raison.

— J'ai pris les billets, dit-il.

— Je croyais que tu avais une invitation.

— À échanger contre des exonérés.

Il sourit encore. Elle éprouva une envie chameau de lui pincer son (long) nez, parce que ce sourire la remuait chaque fois plus.

— Et si je n'étais pas venue ? Ton invitation était gâchée.

— Mon plaisir aussi, dit-il. Je ne serais pas allé voir le film.

Pour le coup, elle eut envie de le battre, de le trancher, hacher menu, d'être à ce point adorable. Les larmes lui montèrent aux yeux. Pourquoi est-ce que tout n'était pas comme elle l'aurait voulu ? Pour mieux refouler ses larmes, elle vérifia à nouveau la foule aux guichets.

— Tu attends quelqu'un ? demanda Merlin.

Personne surtout. Ne voir aucune tête connue ! Elle avait calculé son retard au millimètre ; le gros des spectateurs se trouvait déjà dans la salle.

Dans la vitrine d'un distributeur de boissons, l'irruption de son propre reflet fut un vrai choc. Elle fut presque prise de panique.

Elle pouvait donc être si moche moche ?

Elle avait piqué à Charlie son plus-gros-plus-vieux-pull chmeurk, une jupe dadame à carreaux pouah, et elle s'était tortillonné une boule de cheveux dans le cou bâââh. Renégate complète.

Comme ça, pensa-t-elle rageusement, lui et elle s'affrontaient à égalité !

Ils entrèrent dans la salle. Il proposa de s'asseoir au centre, mais elle préféra le fond (pour croiser le moins de monde possible, mais cela elle ne le précisa pas). Dans les lumières demi-baissées les bandes-annonces défilaient.

— J'ai un peu soif, dit-elle.

— Tu veux quoi ?

— Un jus de pomme.

Il s'exécuta de bonne grâce. En quittant le fauteuil, il eut une manière extrêmement élégante d'enjamber l'accoudoir. Elle le suivit des yeux.

C'est alors qu'elle aperçut Andrée-Marie qui s'avançait pour prendre place dans sa rangée.

Andrée-Marie travaillait au laboratoire avec Charlie. Elle connaissait les Verdelaine. Particulièrement depuis cet automne, car sa fille Colombe était venue séjourner à la Vill'Hervé. Andrée-Marie s'installa à quelques sièges, elle était accompagnée d'une amie.

Un souvenir glaça Bettina. Colombe... Colombe étudiait dans un internat de la zone C. Mais gros problème : elle sortait avec Juan, le fils de l'Ange Heurtebise, la pâtisserie fréquentée par tout le collège !

Bettina se cacha le visage derrière les doigts. Andrée-Marie discutait avec son amie. Elle faisait presque face à Bettina... S'il lui prenait l'idée de dévier le regard de seulement trente degrés...

Elle va me voir. Forcément. Me voir avec... Ooooh. Bettina se démancha le cou en direction de la porte battante. Pas de Merlin, ouf.

Du calme. Que pourrait-il se passer ? Rien...

Mais si ! Le pire !

LE PIRE !

Le cerveau de Bettina échafauda avec précision :

Lors d'un coup de fil banal à sa fille, Andrée-Marie se souviendrait : *Au fait, tu ne sais pas qui j'ai vu au cinéma l'autre jour ? Bettina ! Attifée comme une pou-*

belle, et avec un chignon ! Enfin je devrais appeler ça une crotte, une crottouille même ! Elle était avec un garçon. Alors là, le garçon, fallait le voir pour le croire ! Quasimodo après un accident de cirque ! Un nez... Des oreilles...

Bettina serra fort les paupières, en proie à un effrayant vertige. La suite, elle la voyait encore plus clairement... Colombe écrivant à son Juan chéri du fond de sa zone C pour lui raconter sa vie de pensionnaire sinistre, trop heureuse de pimenter sa lettre assommante d'un post-scriptum : *Au fait, maman m'a raconté qu'elle a vu Bettina au cinéma, fringuée comme une pelleteuse, avec un nain qui a eu un accident de cirque ! Le pauvre a, paraît-il, un nez et des oreilles qu'on dirait une cafetière...*

Et le bouquet final, l'horreur infernale, Juan à la pâtisserie rapporterait en distribuant des chouquettes à Denise et Béhotéguy (dans l'hypothèse la plus apocalyptique Ursula Mourletatier était AUSSI là) : *Au fait, votre copine Bettina sort avec un nez et des oreilles qui...*

C'en fut trop.

Bettina se redressa d'un bond.

Le visage à moitié enfoui dans la vaste manche du pull de Charlie, elle se dépêcha de prendre la direction opposée, celle de la sortie de secours, et quitta les lieux au moment où le générique démarrait... et où Merlin revenait avec la canette de jus de pomme.

*
* *

60

Hortense lut sept fois en entier *Le Petit-Maître corrigé...*

Petit bout du journal d'Hortense

... J'ai été surprise que la jeune première de la pièce s'appelle Hortense comme moi. J'ignore si Zoltan Lermontov l'a fait exprès; en tout cas, elle et moi, on ne se ressemble pas. Elle me fait l'effet d'une pimbêche, d'une pétasse. Bon, malgré tout, à la troisième lecture j'ai commencé à la saisir; et à la septième j'avais très envie d'être elle. Alors j'ai bossé ma scène.

Et ce matin je me suis réveillée avec la sensation d'avoir mangé des clous. À midi les clous étaient toujours là. À quatre heures ils s'étaient, en plus, chargés de courant électrique. Quand la sonnerie du collège nous a propulsés vers la sortie, j'avais l'impression d'être une centrale nucléaire.

Une centrale nucléaire sur le point d'exploser.

— Verdelaine nous montrera ce qu'elle a préparé, a dit Lermontov quand je suis arrivée au cours à 17 h 31. Il a ajusté ses lunettes (jaunes, les verres sont jaunes). Mais auparavant, Julius a sa lecture de *Trois hommes dans la neige* d'Erich Kästner. Julius?

À cet instant précis la centrale explosa.

Elle a tout effacé de mon cerveau et de mes muscles. Je ne me suis plus souvenue de rien. Plus un mot. Plus un geste. Je les avais pourtant répétés et répétés. Je suis restée tassée comme une serpillière sur ma chaise tout le temps que Julius lisait ce qui me paraissait du swahili.

Quand il a eu fini, Lermontov m'a fait signe de lui succéder sur la scène. J'ai cru que j'allais faire pipi dans mon jean. Horreur et abomination, c'est un jean de Bettina.

— Verdelaine? a fait Lermontov derrière ses lunettes jaunes (pipi justement).

Je me suis lentement dépliée. On me dévisageait. Je les sentais sur mes joues, tous ces yeux curieux comme des ailes d'insectes.

— Davidovitch vous donnera la réplique.

Dédée a feuilleté le livre de la pièce. J'ai prié pour que ça dure, que ça s'éternise, qu'elle ne trouve jamais jamais la page… Elle l'a trouvée.

Et elle s'est mise à lire: *Eh bien Madame! Quand sortirez-vous de la rêverie où vous êtes? Vous m'avez appelée, me voilà, et vous ne dites mot.*

Moi non plus, je n'ai dit mot. Pas un. Bouche cousue. Le noir. Comme le soir où je descendais le Macaroni à la Vill'Hervé et que quelqu'un, à l'étage, a brusquement éteint l'interrupteur.

Seule idée que j'avais: m'enfouir dans ce plancher comme un clams dans du sable.

Une sonnette a retenti. Dédée s'est levée pour ouvrir et ça m'a sauvé, deux secondes un dixième de vie.

— Verdelaine? Vous l'avez préparée cette scène oui ou non?

— …

— Alors?

— Oui.

— Retirez les mains de votre dos. Respirez fort. Avec le ventre. Sentez comme il enfle.

Aux environs du ventre, si je remue quoi que ce soit, je n'ose imaginer ce qui peut arriver… Ça n'enfle pas du tout. Ça profère un gargouillis de soda secoué. Dédée revient du hall. Quelqu'un l'accompagne…

Muguette !

J'ai suis prise d'une quinte de toux révoltante. Muguette ?

Muguette... Qu'est-ce qu'elle fout ici ? Pourquoi est-elle venue me voir ?

Je l'ai regardée, ahurie. Elle m'a souri, lancé un clin d'œil. Lermontov s'est retourné.

— Une auditrice libre, a expliqué Dédée.

L'attention s'est refixée sur moi. Quelque chose de bizarre s'est alors passé. Plus de gargouillis, plus de clous ni de centrale nucléaire. Le texte m'est apparu aussi net et flamboyant qu'une cape de toréador. Et j'ai foncé, cornes baissées, dans une espèce d'éblouissement.

Après, ce fut inexplicable. J'ai vu l'œil ardent de Zoltan Lermontov quand il a ôté ses verres pisseux. Et Nina, et Julius, et Dédée, étonnés. Et les autres qui se taisaient. Et Muguette, au fond, qui m'applaudissait en version muette.

Dans le bus du retour, je lui ai demandé :

— Qu'est-ce qui t'a pris de venir ?

— Je voulais savoir comment tu te débrouillais.

— Zerbinski est au courant ?

— T'es Loir-et-Cher, toi ! Et même Haute-Saône ! Non, je l'ai installée devant *Les Plus Belles Années de notre vie*... Choisi exprès un film long. (Elle a jeté un œil à ma montre.) Ça finit dans un quart d'heure. Tu connais pas ma tactique ? Je dis à Zerbinski que j'ai envie de voir tel film que je choisis en fonction de sa durée. Je commence à le regarder avec elle. Au bout de dix minutes, j'annonce que je monte faire une sieste. En fait je sors me balader et je reviens juste avant le mot « FIN ».

— Tu m'épates.

Elle m'a souri, énigmatique.

— Toi aussi, tu m'épates. Je n'imaginais pas que tu aurais le cran de jouer.

Je ne lui ai pas dit qu'elle y était un peu pour quelque chose. Mais elle est si futée qu'elle l'a probablement deviné.

— Je pourrais t'aider à répéter tes prochaines scènes.

Ça m'a enchantée. Je me sentais soudain moins inintéressante.

— Tu sais quoi ? a repris Muguette. Tu devrais t'exercer dans la vie réelle.

— Comment ça ?

— Regarde.

Elle s'est levée et a marché vers le chauffeur. Elle a dit, d'une voix mourante :

— Vous pouvez stopper, m'sieur. Je... je suis malade.

La mine inquiète, il a freiné aussitôt, puis a ouvert la porte avant. Muguette est descendue en courant sur le talus et elle a fait semblant d'avoir des crampes au ventre et de vouloir vomir sans y arriver. Elle a toussé et craché. Les cinq ou six autres passagers la regardaient par la vitre avec un peu de compassion, un peu de dégoût.

Quand elle est remontée, une dame s'est discrètement écartée le temps qu'elle passe.

— Pas mal, dis-je.

Muguette m'a flanqué un grand coup sur la cuisse qui m'a arraché un cri de surprise et de douleur. Sous l'œil effaré des voyageurs, elle m'a hurlé aux oreilles :

— Imbécile ! Ce n'est pas un rôle ! Moi je suis vraiment malade !

*
* *

Lorsqu'elle allait à la ferme chaque premier mercredi du mois pour approvisionner la Vill'Hervé en lait, beurre, œufs et fromage, ce qu'Enid aimait pardessus tout à la ferme, c'était rendre visite à Grosse Machine.

Grosse Machine mettait le lait dans des briques. À un bout il y avait la cuve de lait ; à l'autre, un rouleau de cartons épais. Grosse Machine découpait les cartons, les pliait en forme de brique, envoyait le lait dedans, puis hop, son long bras muni d'une pince chauffante (jumelle, version démoniaque, du fer à friser de Bettina) collait les bords du carton rempli.

Si Grosse Machine réussissait tout ça, c'est qu'elle obéissait aux ordres du Petit Ordinateur Très Intelligent commandé par Sidonie derrière une vitre.

En voyant arriver Enid, Gulliver et leur fidèle caddie écossais, Sidonie Pailleminot leur cria :

— J'ai une surprise pour vous !

Ils regardèrent autour, au cas où la surprise aurait été là. Mais c'était la laiterie habituelle : un bâtiment en métal et carrelage blanc. Sans surprise.

— Il reste du cabilloton aujourd'hui ! dit encore Sidonie.

Hortense, Gulliver et Basile raffolaient de ce petit fromage blanc à base de lait caillé, mais Enid n'en aimait pas du tout l'odeur.

— C'est la surprise ? demanda-t-elle sur un ton poli qui, espérait-elle, cacherait sa déception.

Sidonie eut un fin sourire. Elle laissa Petit Ordinateur Très Intelligent entre les mains d'Angélique, son assistante.

— Suivez-moi ! ordonna-t-elle, mystérieuse.

Elle les mena dehors, dans la cour de la ferme, jusqu'au mur où s'appuyait un cagibi à outils qu'elle ouvrit. La porte racla la terre battue. Il faisait noir, les deux enfants écarquillèrent les yeux pour voir plus vite.

Rien. Toujours pas de surprise.

— Par terre.

Ils obéirent, cherchèrent. Et ils virent. Ils tombèrent alors en pâmoison :

— La Zaza a eu ses petits !

— Ils sont mignons !

— Trop mignons.

Il y en avait quatre. Vraiment petits. S'il n'y avait pas eu leur mère et son air fiérot, on aurait pu les prendre pour un alignement de socquettes roulées.

Ce fut le début d'un extatique « après-midi à la ferme ».

*
* *

Bettina se morfondait devant la télé. Charlie travaillait, Hortense était à son cours de théâtre, Geneviève à un baby-sitting (en fait à son entraînement de boxe, mais Bettina l'ignorait), les petits à la ferme.

Côté copines c'était la désertion. La mère de Denise recevait à dîner et avait exigé que sa fille reste l'aider, quant à Béhotéguy, sa dernière note de maths était si catastrophique que ses parents venaient de lui coller une série de cours de rattrapage.

Mais Bettina aurait pu s'accommoder de tout ça, passer l'après-midi tranquille... si une question n'avait cessé de la tarauder.

Cette question était la suivante : comment en finir avec ce remords qui la bouffait comme une méchante rouille depuis qu'elle avait laissé Merlin en plan au cinéma ?

Elle ne trouvait pas de réponse et zappait comme une folle furieuse... jusqu'à tomber sur la trente-neuvième minute du deux cent soixante-quatorzième épisode de *Sunbeach Party*. Moment crucial où Zelda Applecraft avouait qu'elle haïssait les freesias que lui offrait chaque matin Rodney K. Fitzmaurice.

Ceci n'avait aucun rapport avec cela. Mais Bettina eut instantanément LA réponse à SON problème.

7

Freesias et Valériana

Grâce, donc, aux freesias de Rodney K. Fitzmaurice
pour sa Zelda, Bettina eut l'idée du siècle : télépho-
ner à Merlin pour lui présenter ses excuses.

*
* *

Sauf que, d'excuse, elle n'en avait pas.

Là encore, Rodney K. (prononcer Kê) et Zelda
apportèrent leurs lumières. En les écoutant ânonner
leurs dialogues, Bettina trouva : elle dirait qu'elle
s'était sentie mal.

Pourquoi pas ? La fleur la plus simple est la plus
éloquente (roucoulait Rodney Kê). L'excuse la
moins tarabiscotée serait la plus digeste (se dit Bettina). Elle chercha le numéro de Nanouk Surgelés,
le nota, et passa le dernier quart d'heure de *Sunbeach Party* à se préparer psychologiquement.

Quand Rodney Kê eut envoyé (au lieu de freesias) son poing dans la tronche de Zelda, le générique se déroula à la vitesse d'une bobine à coudre
et Bettina alla boire un verre d'eau. Elle se posta dix

minutes devant le téléphone en songeant que, peut-être, il se mettrait à sonner…

Il sonna !

Bettina le contempla quelques secondes, médusée. Décrocha dans un sursaut.

Ce n'était pas le téléphone. Elle fit valdinguer le combiné sur le canapé et courut ouvrir.

Elle vit une paire d'yeux vert pomme, un chapeau en tuyau de cheminée rouge, deux rangées de dents qui souriaient avec une horrifiante cordialité, une robe imprimée d'huîtres vertes assorties à un éventail qu'on agitait sous son nez.

Le tout appartenant à la même personne. Une dame qui paraissait sortie d'une de ces comédies musicales hippopotamesques dont raffolait tante Lucrèce. D'ailleurs, la dame était elle-même hippopotamesque. Bien que petite, ses biceps et ses hanches lui interdisaient un passage de face par la porte.

— Oui ? s'enquit poliment Bettina.

La dame agita plus vigoureusement son éventail et émit un genre de rot avant de pépier d'une voix essoufflée :

— Pardon, pardon… Je dérange, hein ? C'est pour ma nièce…

Nouveau rot. Nouvelle agitation d'éventail.

— Je suis sa tante Valériana. Savez-vous où elle se trouve ?

Japonais, l'accent ? Balinais ? Martien ?

— Je pourrai vous renseigner sur votre nièce… si vous me dites de qui vous êtes la tante ! rétorqua

Bettina avec ce sourire vaguement condescendant qu'elle réservait aux interlocuteurs classés « moches », ou « définitivement cons », ou « grotesques ».

Elle fourra illico la tante Valériana dans une quatrième catégorie inusitée jusqu'ici, « moche grotesque définitivement con ».

— Ah mais oui ! oui ! J'oubliais ! Ma nièce c'est Muguette, qui habite là-bas.

— Muguette ?

— Ah, vous la connaissez ! Elle m'en fait voir, la peste ! Quand elle était petite, elle remplissait ma baignoire de pain pour nourrir les canards en plastique ! Et avec ma sciatique qui me fait comme un marteau-piqueur, là, dans la fesse droite...

Elle s'interrompit pour se moucher à grand bruit derrière l'éventail, son corps énorme tout secoué de soubresauts. Bettina l'observa, un peu ennuyée.

— Ma sœur Hortense connaît mieux Muguette que moi, dit-elle. Voulez-vous revenir quand elle sera là ?

La dame étouffa un sanglot dans sa manche. Bettina se demanda s'il fallait la faire entrer. Elle n'en avait aucune envie. Ça retarderait son coup de fil à Merlin.

— Un verre d'eau, je vous prie ! hoqueta la dame.

Bettina le lui apporta. Les grandes dents de la dame cognèrent le bord du verre ; elle but avec des lapements dégoûtants. Elle releva son regard vert pomme.

— Merci, merci, d'habitude j'ai une bouteille sur moi, là dans ma poche (elle farfouilla dans les volants de sa robe), je ne sais pas où je l'ai mise, je l'avais pourtant, une étiquette et un bouchon rouges...

Elle proféra une cascade de sons bizarres. Sanglots ? Rires ? Hoquets ?

— Pardon, j'éternue, c'est des crises que j'ai... mes allergies... Mon achme, vous m'excusez, oui ?

— Votre achme ? Oh, asthme.

— Mon achme, oui. Il me faut vite ma fumigation, et ma pulvérisation, et mon inhalation, et ma... pardon, s'il vous plaît, je vous prie, au revoir...

La dame fit une volte-face et remonta l'impasse à une allure que sa corpulence et son « achme » n'auraient pas laissé présager.

Bettina rabattit la porte, pfff. Quelle casse-pieds.

Elle s'en retourna au téléphone. Elle posa la main sur le combiné, compta jusqu'à six...

— Nanouk Surgelés ?

— Vous faites erreur ! aboya une voix.

On raccrocha. Elle recompta six et recommença.

— Nanouk Surgelés ?

Le numéro de votre correspondant a changé. Désormais veuillez composer le...

Elle nota, re-compta, re-composa.

— Nanouk Surgelés ?

— Le siège ou l'entrepôt ?

Bonne question. Au hasard :

— L'entrepôt.

— Quel service ?

— Euh... La livraison.

— Vous êtes un fournisseur ?

– Non.

– Un particulier ?

– C'est ça.

– Si c'est un problème concernant une erreur ou un retard, je vous passe le service clientèle.

– Oh non, ce n'est pas...

Trop tard.

– Service-clientèle-Stéphanie-Ballankxjrsqp-jnddr-bonjour !

Ballan-quoi ? Bettina prit sa respiration et parla à toute allure :

– J'aimerais parler à Merlin s'il vous plaît, aux livraisons, merci.

Un silence. Puis Stéphanie Ballankxjrsqpjnddr reprit :

– Vous voulez dire M. Gillespie ?

– Si son prénom c'est Merlin...

– Qui dois-je annoncer ?

– Euh. Bettina.

– Bettina qui ?

Bettina fut à un doigt de raccrocher.

– Bettina tout court, soupira-t-elle.

Petite musique. Petite sonnerie.

– Bettina ?

Au son de sa voix, elle crut mourir de trac. Elle se pinça la lèvre supérieure entre le pouce et le petit doigt, commença à y arracher des bouts de peau, mais s'entendit répondre de la voix la plus calme du monde :

– Merlin ?... Je voulais m'excuser pour le cinéma. J'étais très mal. Je n'arrivais plus à respirer. Je suis claustrophobe tu comprends, il fallait que je sorte prendre l'air le plus vite possible et…

Et elle parla, expliqua, donna un tas de détails qui venaient tout seuls, faciles, persuasifs, qui la persuadaient elle-même. Quand elle eut fini, elle dit :

— Voilà.

— Je comprends.

— Tu m'en veux encore ?

— Je ne t'en voulais pas. J'ai bien pensé qu'il devait y avoir une raison… plus forte que toi.

— Merci, tu es gentil.

Elle redit :

— Voilà.

Puis :

— C'est tout. Salut.

— Salut, répondit-il.

Elle entendit sa respiration et crut qu'il allait ajouter quelque chose, mais il ne dit rien. Elle raccrocha avec les impressions du coureur de marathon qui a franchi l'arrivée : soulagement, joie, épuisement. Et une douleur au côté gauche.

*
*　*

— J'ai pas fait mon anglais pour demain, dit Julianne.

— Moi oui, dit Bettina. Je peux te le passer.

— Vrai ? Sympa. Ma sœur avait promis de m'aider et tu sais quoi, à huit heures hier soir, la voilà qui se met à faire la liste des films où Bruce

Willis porte une moumoute et ceux où il n'en a pas. Ça l'a emmenée à deux heures du mat!

— Conclusion? fit Bettina en ouvrant son sac à dos pour donner le texte.

— Je lui demande: comment peux-tu être amoureuse d'un type qui met sept mille perruques? Devine ce qu'elle me répond?

— Sais pas.

— «Mon rêve c'est d'être l'une de ces perruques!»

Bettina sourit distraitement. Elle inspectait du regard la rue autour. Elle n'aimait pas particulièrement la compagnie de Julianne. Mais Julianne habitait un quartier qui, en cette minute, l'intéressait vivement.

Enfin elle aperçut sur le boulevard ce qu'elle espérait depuis leur sortie: un petit Eskimo en néon bleu qui clignotait dans la nuit précoce: *Nanouk Surgelés*.

Le cœur de Bettina fit un entrechat...

— Je te laisse, dit-elle sans se rendre compte qu'elle coupait Julianne en plein milieu d'une histoire drôle.

Julianne lui lança un coup d'œil de côté, et se tut.

— La nuit tombe et je ne veux pas rater le bus, tenta minablement d'expliquer Bettina.

— Oh, fit Julianne en lorgnant l'Eskimo bleu avec un air d'avoir tout compris. Je me demandais pourquoi tu m'accompagnais...

— Qu'est-ce que tu veux dire?

— Béhotéguy raconte que tu es amoureuse d'un livreur de surgelés.

— Elle ment.

Béhotéguy. Vile ragoteuse. Bettina sentit une pelote de colère grossir au fond de sa gorge.

— Pas la peine de t'énerver. Ni de rougir.

Julianne baissa les yeux sur le cahier d'anglais de Bettina qu'elle avait à la main. Elle parut réfléchir, puis le rendit.

— Reprends-le, dit-elle. Ma sœur finira bien par laisser tomber Bruce Willis. Ou j'essaierai de le faire toute seule.

Elle tourna le dos à Bettina et la quitta.

Bettina se retrouva seule dans la lumière congelée du petit Eskimo. Elle courut à l'abri d'une porte cochère.

Elle attendrait Merlin pour lui parler... mais il fallait que ç'ait l'air d'être « par hasard ». Il ne manquerait plus qu'il la voie faire le pied de grue ici ! À cette seule idée, la honte lui montait au visage.

Elle patienta quelques minutes, échafaudant quinze scénarios sur le mode de « je passais par là ».

Aucun ne tenait.

Elle fit demi-tour, et s'enfuit.

8

Mon cœur fait boum

Geneviève sortit du bus en regrettant de n'être pas une de ces filles avec des miroirs plein leur sac. Si le bleu à son menton ressemblait à celui qui lui poussait en ce moment sur le bras (genre petit-four à la myrtille), elle devait être repoussante. Et elle aurait droit à des questions.

Elle entra dans l'impasse. Elle se demandait pour la énième fois comment expliquer ces hématomes à ses sœurs, quand une main jaillit du crépuscule, et se posa sur son bras. Sur le petit-four bleu.

Geneviève, de surprise, laissa choir son sac de sport.

– Je vous ai fait peur, og, je suis vraiment, oui, vraiment désolée ! claironna une voix près de sa joue. Vous ne savez pas qui je suis, je vais vous le dire car je n'ai rien à cacher et, og, og, je vois bien que je vous fais peur. Je suis la tante de ma nièce, vous la connaissez, elle habite à quelques pas, là-bas…

Noyée par ce flot, Geneviève contempla avec ahurissement l'étrange personne qui l'agrippait.

— Je me présente : Valériana, la tante de Muguette, il paraît que vous la connaissez, vous êtes Hortense je crois... ?

— Non, bredouilla Geneviève un peu soûlée. Je suis sa grande sœur. Hortense doit être à la maison. Vous désirez la voir ?

— Oh oui, s'il vous plaît, je vous prie. Et quelque chose à boire aussi, ça me ferait bien plaisir, d'habitude j'ai une minigourde avec du remontant, oh rien de fort, hein, je ne suis pas pocharde, ha, ha, ha, og, mais cette peste de Muguette a dû s'amuser à me la cacher, je ne la trouve plus... Pas ma nièce, la gourde... quoique ma nièce ait disparu aussi... Je la reconnaîtrai pourtant, rose avec un nœud vert, la gourde, pas ma nièce...

Son chapeau (un accordéon en feutre rouge) s'agita de soubresauts. La dame plongea le nez dans un mouchoir spacieux et se moucha avec un bruit de pétard.

— Pardon... Excusez... Mon allergie qui reprend, toute cette bruyère, og... Je mourrai de mon achme...

— Achme ?

— C'est ça, j'ai de l'achme...

Geneviève ouvrit la porte de la Vill'Hervé et la grosse dame pénétra en crabe dans le hall. Elle regarda autour d'elle en continuant de se moucher et d'émettre de drôles de sons dont on ne savait trop s'ils venaient de la gorge ou de l'intestin.

— Hortense ? appela Geneviève. Quelqu'un te demande !

Personne ne répondit. Dans le salon, Bettina était au téléphone.

— ... Où ça, une fête ? était en train de dire Bettina. Chez toi ? Tes parents sont d'accord ? Génial...

— Hortense ! appela Geneviève vers les hauteurs du Macaroni. Pour toi !

— Elle prend son bain ! répondit la voix de Charlie depuis un recoin non identifié.

— Venez, proposa Geneviève à la tante Valériana qui restait plantée dans l'entrée.

— Ça ne fait rien, je reviendrai, je voulais juste lui dire que j'étais contente, og, og, que ma petite Muguette se soit fait une amie, j'aime beaucoup ma nièce même si elle peut se montrer une vraie charogne quand...

Un éternuement la coupa. Elle se dandina vers la porte.

— Je vais rentrer, mon achme, og, une plaie...

Geneviève lui ouvrit. L'étonnante tante sortit en biais. Geneviève ne savait trop comment conclure.

— Repassez demain, proposa-t-elle sans réfléchir. Pour le thé ? Comme ça vous serez sûre de voir Hortense.

— Oui, oui, og, merci, oootch...

Elle sortit, emplissant la nuit d'éternuements farouches.

— Quel bestiau, dit Geneviève abasourdie.

— Elle est déjà venue hier, lui dit Bettina. Allô ? Non, non, je parlais à Geneviève de la folle d'à côté... Avec des rayures et des trous, tu vois le genre de pull ? Fabulo-craquant. Bon, je te laisse...

— On a eu de la visite ? s'enquit Charlie en surgissant de son recoin.

— Eh bien, fit Bettina après avoir raccroché. Disons un mélange de la Sorcière de l'Ouest, du Joyeux Chevrier de la famille Trapp, de Drew Barrymore piaillant dans *Scream*. Au fait, mais ça n'a aucun rapport, Gersende fête son anniversaire samedi et je suis invitée.

Elle grimpa à l'étage, où on l'entendit tambouriner à la salle de bains :

— Hortense ! T'en mets un temps !

Geneviève, elle, s'autorisa un coup d'œil discret dans la glace du bahut. Si elle gardait la tête légèrement inclinée, là, comme ça, on ne voyait pas trop le bleu sous son menton. Sauf si on était beaucoup plus petit qu'elle. Attention avec Enid.

Elle alla boire un long verre de jus de raisin à la cuisine. Il subsistait dans l'évier toute la vaisselle sale du petit déjeuner. Elle se confectionna un sandwich bacon-cheddar-marmelade, noua un grand torchon autour d'elle et, entre deux bouchées, se mit à laver la vaisselle. C'est là qu'on l'oubliait le mieux.

*
* *

Les parents de Gersende avaient prêté leur garage et loué des spots fluo flashy. Aurèle, grand frère de Gersende, faisait le DJ. Il y avait trois tables de boissons et de victuailles, six cartons de réserves, et les troisièmes A, B, C, D du collège. Bref, une fête avec tout ce qu'il fallait.

— Z'avez vu la robe de Gersende ? chuchota Béhotéguy.

— Une robe ? Où ça une robe ? persifla Bettina.

— Les cinq millimètres carrés de coton qui tiennent à ses épaules par deux fils ?

Les DBB gloussèrent, et ne s'arrêtèrent que lorsque Gersende s'approcha d'elles en souriant :

— Pourquoi vous rigolez ?

— Rien. Denise dit des bêtises.

Gersende remonta une bretelle de sa robe (ce qui les fit pouffer derechef) :

— Prenez du clafoutis aux noix, dit-elle, c'est la mère de Julianne qui l'a fait. Glorieux.

Elles goûtèrent au clafoutis, un peu honteuses que Gersende se montre amicale alors qu'elles se moquaient d'elle. Le DJ démarra un morceau *dry blood ethnic* et Clovis Boulesteix invita Béhotéguy, qui se dépêcha d'avaler sa bouchée.

Denise et Bettina restèrent seules un instant. Isild les rejoignit bientôt, puis Laurie qui déclara, alors que personne ne lui demandait rien, qu'elle n'était pas du tout, mais alors pas du tout, superstitieuse.

— Moi, hurla Isild pour couvrir la musique qu'Aurèle poussait à fond, ma mère est superstitieuse depuis le jour où une copine lui a tiré les tarots et lui a prédit un grand malheur.

— Ah ? Elle l'a eu ? mugit Denise.

— Pas un ! Deux malheurs ! vociféra Isild. Le soir même !

— Quoi ? tonitrua Bettina.

— Un: mon père avait cuisiné le dîner. Deux: une collègue qu'ils avaient invitée leur a offert l'intégrale de Céline.

— Les sacs ou les chaussures?

Un cri fusa dans la ténèbre clignotante. C'était Jean-Rachid dont le tee-shirt venait de recevoir le sorbet à la goyave d'Anne-Lucette.

La musique changea. C'était un *beat nuclear*, Bettina a-do-rait. Elle martela du menton. Wolfgang Phuong, de 3ᵉ C, l'invita. il dansait un peu répétitif mais pas si mal. Il la réinvita au morceau suivant, qui était un *sick bounce*. En sueur, elle alla rejoindre un groupe qui riait comme une tribu de choucas près du buffet.

— Mon père est top flingué depuis qu'il s'est remarié, racontait Ovide à Gaétane. Et ta mère?

— Six mois qu'elle sort avec un mec complètement tour Eiffel! répondit Gaétane, qui enchaîna à l'attention de Lili: Hypersolaire, ta jupe, dis donc.

— C'est mon oncle qui me l'a faite. En couture il cartonne top Niagara.

Bettina prit une louchée de jus rose dans un grand saladier orange et se remplit un gobelet d'apparence propre. Elle goûta: Malabar + Fraise Haribo + Basilic. Elle fit une grimace et abandonna lâchement le gobelet comme s'il était vide.

Un couloir de lumière ouvrit subitement l'obscurité. Quelqu'un avait coulissé la porte du garage. Une silhouette s'encadra en découpe chinoise.

— Nanouk Surgelés! Livraison! cria la voix de Merlin par-dessus la musique. Qui accuse réception?

Bettina manqua s'évanouir.

Elle devina qu'à la même seconde, quelque part parmi les danseurs, Denise et Béhotéguy l'observaient. Ne pas avoir l'air d'avoir l'air, surtout. Elle attrapa un gobelet au hasard sur la table. C'était le Malabar-Haribo-Basilic qu'elle venait d'abandonner. Elle but. Avec lenteur. En goûtant chaque gorgée. Une fois fini, elle eut l'impression d'avoir dérivé cinq jours sur une chaloupe gonflable.

Merlin, donc, était ici.

Elle se raccrocha à la table et se retint de plonger dessous. Elle se contenta de cligner des paupières. Quand elle les rouvrit, Jeannine Mur venait d'attraper Merlin par le coude et l'entraînait dans une démonstration frénétique de *speed slide*.

— Il danse! chuchota la voix de Denise à son oreille.

— Dis donc, c'est pas ton livreur de surgelés favori? susurra Béhotéguy. Il se débrouille *jet-issimo*!

— Ce n'est pas mon...

Elle renonça. C'est vrai qu'il dansait bien. Ses bras et ses hanches avaient des rythmes flottants; sa partenaire était aux anges.

Bettina se dit qu'elle tuerait un jour Jeannine Mur, et fut sincèrement surprise de se découvrir jalouse.

Elle ne fut pas seule à l'être. Solange Bigne interposa entre Jeannine et Merlin des sautillements pleins d'allégresse. Lavinella les rejoignit, puis Hermengarde. Le DJ fit grimper la musique au grand dam des garçons que toutes les filles désertaient avec entrain pour aller faire trois petits tours avec ce livreur de surgelés qui se déhanchait comme un dieu.

Bettina se resservit de la mixture Basilic-Haribo.

— Tout va bien? s'enquit, derrière, la voix anxieuse de Mme Peyrasolognot, maman de Gersende et d'Aurèle.

— Je... crois, répondit faiblement Bettina avant de comprendre que la maman de Gersende avait posé la question en général, pas à elle en particulier.

Ce qui devait arriver arriva. À danser de l'une à l'autre et dans tous les azimuts, une pirouette projeta Merlin devant elle. Il disparut aussitôt en tournoyant avec Julianne à l'autre bout du garage. Il y resta jusqu'à ce qu'une pirouette le ramène, cette fois en compagnie d'Hippolyta Renoir, sous le nez de Bettina.

— Il me semblait bien que c'était toi, dit-il, et il redisparut de l'autre côté.

— Tu danses avec moi? reprit-il en réapparaissant avec Ilona.

Il lâcha sans façon les épaules d'Ilona pour entourer celles de Bettina. Il l'attira à lui et lui serra la taille. Il dansait délicieusement. Glorieux, aurait dit Gersende. Hypersolaire. Tour Eiffel. Top Niagara.

Elle se dégagea. Avant qu'il puisse insister, Lavinella était déjà entre eux et le DJ accélérait le rythme.

— Ce type bouge *dry-guérilla*! cria Lili dans la nuit scintillante.

Dry-guérilla? Bettina n'avait jamais entendu, mais elle voyait très bien ce que Lili voulait dire.

Le bras de Merlin revint à elle, et se fit insistant. Il s'enroula, vite, autour de ses omoplates, et l'emporta au milieu de la pièce. Elle pensa oh mon Dieu je danse, je danse avec lui et c'est un délice, et elle tourbillonna loin de lui, puis tout près, puis loin, et encore tout près. Son front toucha son menton. Elle entrevit le sourire de Merlin, si bouleversant, si joli, elle sentait la pression de ses pouces sur ses bras, et elle devina qu'il ressentait la même joie qu'elle, le même bonheur.

Leur danse dura de longues, de merveilleuses secondes, ou minutes, jusqu'à ce que l'oreille gauche de Bettina intercepte le début d'une phrase qui traversait l'espace :

— C'est quand même dommage qu'il soit si…

Elle n'entendit pas la fin.

Mais ce n'était pas difficile.

Qu'il soit si…

Si vilain, ingrat, si disgracieux, si pas regardable, inesthétique, si…

Ce matin, en se lavant les cheveux, elle s'était trompé de robinet au rinçage, elle avait tourné l'eau froide. C'est exactement ce qu'elle ressentait.

Ses yeux s'emplirent de larmes. Elle repoussa Merlin et se détourna avec colère. Il la rattrapa par un poignet.

— Bettina… Tu ne danses plus ?

— Je ne danse plus.

— Même avec moi ?

84

— Je ne danse plus !

Elle avait du mal à parler. Elle se faisait l'effet d'une marmite pleine de rancune et d'envie de cracher. Elle se sentait méchante, mauvaise. Elle donna un coup de poing à Merlin, elle le rata, mais dans la pénombre il ne s'aperçut de rien. Il lui dit :

— Moi j'aime vraiment danser avec toi.

Elle lui en voulut encore plus d'être si gentil, de ne pas comprendre. Les regards autour d'eux se firent curieux, pointus comme des punaises.

— Qu'est-ce que tu as ? continuait sa voix au-dessus de sa joue. Une fois tu es gentille et la fois d'après tu piques. Moi qui voulais te dire à quel point j'étais heureux hier quand je t'ai vue attendre devant Nanouk…

— Hier ?

Elle blêmit. Il l'avait vue poireauter. Épiée peut-être… Et il racontait tout ici !

— Je t'ai fait signe par la fenêtre, mais tu t'es sauvée en courant au moment où je descendais te rejoindre.

Elle était écarlate, muette, furieuse. Il osait révéler ça à tout le monde. Non, pas tout le monde, pire : les copains et les copines du collège.

Elle le regarda, mortifiée, hors d'elle. Avec un méchant sourire, elle articula :

— Tu crois que j'étais là-bas pour toi ?… Prétentieux ! Tu te crois si agréable à regarder ? Erreur et boulette, mon vieux. Je n'aime que les beaux mecs. Ce que visiblement tu n'es pas !

9

Sombre dimanche, très sombre lundi

Vers 15 h 11 ce dimanche une photo du grand salon de la Vill'Hervé aurait fixé, pour une éternité plus ou moins brève :

* Le thermomètre qui affichait huit petits degrés derrière la vitre ;

* Charlie sur un escabeau en train de changer l'ampoule du plafonnier et regardant l'épisode 218 de *Cooper Lane* à la télé ;

* Hortense et Enid sous une couverture au fond du vieux canapé orange, regardant l'épisode 218 de *Cooper Lane* ;

* Geneviève qui rédigeait la liste des courses de la quinzaine sur l'e-mail de M. Chantemerle, épicier en ville, en regardant l'épisode 218 de *Cooper Lane* ;

* Ingrid et Roberto qui se léchaient les flancs en ne regardant rien d'autre que leurs poils.

Dans cet épisode intitulé « Menthe ou Chocolat ? », Cooper Lane, *college boy* américain aux gros yeux bleus, découvrait qu'il raffolait des tartes à la menthe alors qu'il avait vécu jusque-là en croyant le contraire.

— C'est quoi une maison sous influence du feng chui ? s'informa Enid, suite à un dialogue obscur du héros à gros yeux bleus.

— Imagine la Vill'Hervé avec le linge lavé, plié, rangé, la vaisselle étincelante, le parquet ciré…

— … la vieille horloge jetée, les cochonneries de Bettina à la poubelle, le tableau des faisans morts de tante Lucrèce enterré, les bouquins pas empilés par terre, mais rangés. Voilà. On sera peut-être, je dis bien peut-être, sous influence du feng chui…

— J'aime notre vieille horloge ! se récria Geneviève.

— J'adore que les bouquins soient en bazar partout.

— Les faisans morts de tante Lucrèce, tout de même, c'est un cadeau.

— Qu'entends-tu par « cochonneries de Bettina » ?

— Adieu donc, feng chui ! conclut Charlie, toujours perchée.

Un grincement à l'étage leur apprit que Bettina sortait de la salle de bains où elle était enfermée depuis le déjeuner. Elle descendit les rejoindre.

— Il est déconseillé de se baigner sitôt après manger, tu le sais ? dit Hortense.

— Je n'ai pas pris de bain, lui rétorqua Bettina.

Un énorme drap-éponge lui entourait la tête tel le génie d'Aladin. Elle était absolument ravissante mais ses sœurs se seraient jetées au feu que de lui dire.

— Me suis fait un henné, précisa Bettina.

Elle déroula le drap-éponge et ses cheveux apparurent, étrangement multicolores.

— C'est quoi c'te couleur ? dit Enid.

— *Caffè caffè*.

— Tu auras mal lu, dit paisiblement Hortense. Ne serait-ce pas plutôt *Fécaca* ?

Hortense reçut l'éponge en pleine tête. Ce qui déclencha la sonnerie du téléphone. Le cheveu en tumulte, Bettina décrocha. Des violons et une voix de crooner vibrèrent à son oreille. Elle sut immédiatement qui était en ligne.

— Tante Lucrèce ! chuchota-t-elle loin du micro. Qui a prononcé son nom tout à l'heure ? Celle-là est une sorcière ! Tante Lucrèce ?... Non, ce n'est pas Bettina ; moi, c'est Hortense.

Son grand bonheur était de faire croire à tante Lucrèce qu'elle ne parlait jamais à la bonne personne.

— Je te passe Geneviève.

Elle tendit le combiné à Charlie qui descendit de son escabeau.

— Dis-lui que tu es Geneviève, murmura Bettina, et aussi qu'on n'a pas reçu son chèque mensuel. Pour voir.

Charlie essuya ses mains pleines de poussière sur les fesses de son pantalon.

— Tante Lucrèce ? C'est Charlie. Non, pas Geneviève...

Les autres s'en retournèrent aux affres chocomentholées de Cooper Lane aux gros yeux bleus.

— Qu'est-ce qui s'est passé ? s'enquit Bettina en désignant la télé.

Comme personne ne répondait, elle flanqua sa serviette maculée de henné dans le linge sale, et remonta s'enfermer dans la salle de bains.

Elle peigna, pour la sixième fois en cinquante-sept minutes, ses cheveux devenus multicolores. Le mode d'emploi sur l'étui promettait de chatoyants reflets acajou. Elle espérait de tout son cœur que le mode d'emploi ne mentait pas. Pour l'instant ils étaient mouillés et cette imbécile d'Hortense avait raison : ils avaient une drôle de tête.

Elle quitta la salle de bains et tomba, justement, sur Hortense, laquelle, justement, attendait la salle de bains :

— Je commençais à croire que tu réapparaîtrais dans une semaine !

— Il y a une autre salle de bains, rétorqua Bettina.

— C'est celle-là que je veux.

Bettina lui retourna une grimace et s'en alla fouiller dans la chambre de Geneviève, sûre d'y dénicher ce qu'elle voulait (et qu'elle dénicha) : du joli papier à lettres jaune pâle, les enveloppes assorties, des timbres. Elle emprunta cinq feuilles, deux enveloppes, un timbre, et courut s'enfermer dans sa chambre.

Le cœur battant (et pas seulement parce qu'elle avait couru), elle commença : *Cher Merlin.*

Raya tout de suite. Remplaça son stylo bleu par un noir. Puis *Cher Merlin* par *Mon cher Merlin.* Elle réfléchit. Continua :

Excuse-moi pour mon attitude à la fête de Gersende. Je

ne sais pas ce qui s'est passé. Il faisait un peu sombre, j'avais la tête...

Elle déchira la feuille, en prit une autre.

Mon cher Merlin. Je suis bête bête bête et je te demande pardon. Je me suis comportée comme une peste parce que mes copines étaient là et j'avais si peur qu'elles disent...

Que tu es laid ? Elle déchira encore. Elle soupira, rangea ce qui restait de papier. Elle demeura à son bureau, à contempler les copeaux dans le taille-crayon transparent. Au bout d'un moment elle repoussa tout. Elle reprit sa brosse et se peigna pour la septième fois.

*
* *

Au rez-de-chaussée, tout était bien qui finissait bien : Cooper Lane savait désormais qu'il aimait autant les tartes à la menthe que les baisers de Mildred, et il le lui avouait en musique.

Précisément, c'est au milieu d'un trémolo en *mi* mineur qu'un hurlement en contre-*ut* jaillit de la gorge d'Enid. La petite, épouvantée, fixait la fenêtre proche ; et lorsqu'elles virent ce qu'elle voyait, Geneviève et Charlie durent se retenir pour ne pas hurler à leur tour.

À travers les carreaux embués, s'agitait une tête échevelée, rouge vif, toute remuée de tics et de tremblements. Une vision de cauchemar. Une main en mitaine rampa, telle une tarentule verte, pour cogner à la vitre.

— C'est quoi... cette chose ? souffla Charlie.

Geneviève fit claquer sa langue.

— Zut... Complètement oublié. Hier je l'ai invitée à prendre le thé.

— Seigneur. C'est bien la sorcière de *Blanche-Neige* ?

— Seulement la tata Valériana de notre voisine.

— Si elle te vend des pommes rouges, ne les mange pas surtout.

Enid dévisagea sa sœur aînée avec une légère inquiétude. Geneviève alla ouvrir la porte-fenêtre, et le vent de novembre entra dans un grand frisson de feuilles. Le visage de tante Valériana s'encadra, réjoui, poudré d'orange vif et de rose cauchemardesque sous de gros sourcils. Elle remit en place son châle qu'une bourrasque avait déroulé et s'y emmitoufla jusqu'au nez.

— Bonjour ! Bonjour ! chevrota-t-elle. Ce vent, hein ! À se demander comment on tient debout !

— Entrez, dit aimablement Geneviève. Enid, tu fais chauffer le thé, s'il te plaît ?

La dame n'était pas seule. Derrière, remontant le talus de bruyère, Muguette suivait, la mine frigorifiée. Elle entra avec sa tante. Tante Valériana s'assit au bord de la chauffeuse. Empoignant sa nièce par le coude, elle la posta d'autorité devant la cheminée où grésillaient quelques braises.

— Tu as la tremblote, gronda-t-elle. Attends, je vais te donner quelques gouttes de...

Elle fouilla dans son sac. Son chapeau dérapa sur son front. Enid fit des paris avec elle-même. Tomberait-il ? Quand ? Où ?

Il ne tomba pas, en dépit des gestes électriques de la dame. Les autres ne surent jamais quelles gouttes elle cherchait car elle s'arrêta soudain, index en l'air :

— La bouilloire siffle !

La bouilloire ne sifflait pas du tout. La maison était silencieuse et les filles se demandèrent sérieusement ce qu'il en était de sa santé auditive. En retrait, Muguette se toqua le front pour signifier que, la pauvre, c'était sa santé mentale. Charlie, Geneviève et Enid prirent l'air qui convenait.

— Quelle belle maison ! s'écria la tante. Ces rideaux bleus !

Le rideau était en fin d'existence, rongé aux insectes, pâli par la lumière, mais certainement pas bleu. Beige, tout au plus.

— Et ce canapé vert ! Assorti à la nappe ! Quel goût magnifique !

La pauvre créature. Le canapé vert était orange, et sans aucun lien avec la nappe aux ananas brodés.

— Vous êtes dalmatienne ? s'enquit Enid.

— Pardon ? s'étrangla la dame.

— Voulez-vous des biscuits ? intervint Charlie. Geneviève ? Ils sont dans le buffet.

Mais Enid voulait en avoir le cœur net.

— Dalmatienne ! martela-t-elle. Comme Thaddée Champoulet, à l'école. Il ne voit pas les couleurs.

— Daltonienne, rectifia Muguette. Tata Valériana voit parfaitement les couleurs. Mais, des fois, elle mélange leurs noms.

— Ah, dit Charlie.

— Oh, dit Enid.

— Un cookie ? dit Geneviève en versant le thé dans les tasses.

— Mouche-toi, ordonna soudain la tata à sa nièce. Tu vas tousser sinon. (Elle se tourna vers les filles.) Ça coule à l'arrière de la gorge, direct sur les bronches, et après c'est cof cof cof toute la nuit...

Elle-même s'étrangla et se mit à tousser. Elle tira un mouchoir de sa manche et se l'appliqua sur la bouche. On l'observa anxieusement.

— Donnez-lui de l'eau, dit Muguette gravement.

Dans les plis du châle, la toux submergeait la tata, la suffoquait, l'empêchait de parler. Des larmes coulèrent sur ses joues orange et rose.

— Madame ! s'alarma Geneviève. Ça va ?

— C'est rien, dit Muguette imperturbable. Ça arrive parfois. C'est sa goutte.

— Goutte ? s'étonna Charlie. En quoi la g...

Tante Valériana parut vouloir articuler des mots, mais rien d'autre qu'un tohu-bohu de caverne ne sortit de sa gorge. Sa grosse poitrine semblait un volcan sur le point d'exploser. Ses yeux vert pomme virèrent rouge framboise, elle agita ses mitaines sous ses narines.

— Elle s'évente, grommela Charlie, elle va dire quelque chose.

— Elle n'y arrive pas, elle étouffe, dit Geneviève.

— Elle a envie de vomir, traduisit Muguette.

Elles dévisageaient la tata, atterrées. Elle porta une boule de châle à ses lèvres. Elle bondit dans un hoquet et se précipita droit à la cuisine, d'où leur parvinrent borborygmes, essoufflements, flatuosités, ébrouements, crépitations, ultrasons, blop-blop et reniflements.

Le visage attentif de Bettina parut en haut du Macaroni.

– C'est quoi, ce ramdam ?

– Rien, dit Muguette d'un ton neutre. Tante Valériana a la nausée.

– Dans la cuisine, précisa Charlie dans un souffle.

Entre les barreaux de la rampe, la jolie bouche de Bettina se retroussa, dégoûtée.

– Non ? Elle vomit vraiment ? Dans l'évier de la cuisine ?

*
* *

– J'y crois pas ! Elle a dégobillé dans votre cuisine ?

– Non. Elle avait juste le hoquet.

Denise et Béhotéguy poussèrent des hennissements qui pouvaient être des rires. Vénus Ouédraougo, principale du collège, qui croisait à proximité, darda un œil glaçant sur Bettina.

– Qu'est-ce que cette tenue, Verdelaine ? Et qu'avez-vous fait à vos cheveux ?

– Un henné, madame.

– La prochaine fois, mettez la dose conseillée. Ou utilisez un minuteur. Quant à ces collants et cette jupe…

Elle désigna du doigt le collant tigre, la jupe chenille dont les artistes déchirures au cutter avaient exigé deux heures quinze de concentration.

— On sera certainement ravi, chez vous, d'augmenter le stock de chiffons de ménage...

Mme Ouédraougo s'éloigna, ses jolies jambes en collants noirs martelant les dalles du couloir. Bettina et Denise jetèrent une grimace à la martingale de son tailleur.

— L'écoute pas, dit Denise. Elles sont superpurulentes, tes fringues !

— Guerrières ! renchérit Béhotéguy.

La sonnerie vrilla l'air. Béhotéguy glissa à Bettina :

— C'est pour lui, tes investigations vestimentaires ?

— Lui qui ? demanda Bettina qui regretta aussitôt.

— Les surgelés. C'est quoi son nom... Pépin ? Mandrin ?

— Merlin, murmura Bettina.

— La façon dont vous dansiez, toi et lui !

— Tu es amoureuse ? chuchota Denise en entrant dans la classe.

— T'en avais l'air.

— De lui ? s'indigna Bettina. Ça va pas ! Je ne...

— Encore un mot, Verdelaine, et c'est la permanence !

Elle se tut. En classe, Béhotéguy lui souffla :

— Tu peux nous le dire, tu sais. Ce n'est pas parce qu'il est moche qu'on te jettera la pierre...

Le cœur de Bettina se tordit. C'était la chose la plus cruelle qu'on lui ait jamais dite. Elle avala trois fois sa salive pour barrer la route à un sanglot inattendu mais d'une rare violence. Après, elle réussit une espèce de sourire.

95

— Le jour où je tomberai amoureuse de Bugs Bunny, dit-elle vaillamment, j'enverrai des faire-part.

— Sortez, Verdelaine ! En permanence !

Bettina n'aimait pas le lundi en général, mais celui-ci elle le haït de tout son cœur.

*
* *

— Et ta tante ? interrogea Enid lorsque Muguette leur rendit visite deux jours après la grande scène de tante Valériana.

— Super-forme. Elle a dévoré un poulet entier à midi.

— Hein ? Entier entier ?

— Les deux pattes, les deux ailes, le blanc. Et même les intérieurs.

Enid détestait les intérieurs de poulet. Et de lapin, de veau… Les intérieurs de tout, en fait. Muguette se tourna vers Hortense :

— J'ai appris qu'il y avait des petits chats à la ferme.

— On les a vus, avec Gulliver ! s'écria Enid.

— Tu m'accompagnes, Hortense ? demanda Muguette. Je veux les voir.

— C'est loin. Tu seras fatiguée avant qu'on soit à la moitié du chemin.

— J'ai apporté ça ! dit Muguette avec un sourire radieux.

« Ça » était un fauteuil roulant. Hortense le regarda et eut l'impression de recevoir un mauvais coup au plexus. Avec ce machin, la maladie de Muguette entrait à la Vill'Hervé, aussi réelle, aussi douloureuse qu'un poing qui frappe. Elle se sentit pleine de désarroi, elle regarda Muguette que le boutonnage de son manteau semblait absorber.

— On passera par la route, proposa Muguette. Tu voudras bien me pousser ? Je t'aiderai avec les mains.

Hortense posa le livre qu'elle lisait, à cheval sur un accoudoir.

— Et Zerbinski ?

— Je l'ai mise devant *Lawrence d'Arabie*. On a cent trente-quatre minutes.

Muguette prit le livre, lut le titre *Papa Longues Jambes*.

— Elle est morte en donnant naissance à son bébé. Tu savais ?

— Qui ?

— L'auteur. Jean Webster. C'est terrible, non ? Si la médecine avait été plus fine à cette époque, elle aurait pu écrire plein d'autres livres géniaux.

Elle s'assit dans le fauteuil roulant. C'était bizarre de voir Muguette ainsi. Elle faisait encore plus mince, encore plus petite. La voix de Geneviève, dans le hall, demanda si elle avait besoin d'une couverture.

— Oh oui, je veux bien, lui cria Muguette. J'ai toujours froid, ajouta-t-elle d'un ton d'excuse.

— Je peux venir aussi ? suggéra Enid.

— Et quoi encore ! s'interposa Charlie. Tu as trois devoirs de maths, deux de grammaire, une poésie !

La couverture autour des genoux, Muguette débloqua le frein du fauteuil roulant et, poussée par Hortense, elle remonta l'impasse en direction de la route.

Quarante minutes plus tard, elles atteignaient la ferme de Sidonie. Quand elle y allait seule, Hortense mettait un quart d'heure. Sidonie lavait des pommes de terre dans un grand bac en plastique jaune.

— Pas souvent qu'on te voit par ici ! s'exclamat-elle en tendant la joue à Hortense.

Elle s'essuya les mains à un torchon propre pour serrer celle de Muguette.

— Vous avez des petits chats... ?

— Pas moi. Notre Zaza.

— Je peux les voir ?

Sidonie replongea les mains dans le bac à pommes de terre. Elle fronça les sourcils.

— Voyez Jean-Ro, mon beau-frère. C'est lui qui... doit s'occuper d'eux.

Jean-Ro se trouvait dans l'arrière-cour. Hortense roula Muguette jusque-là. Jean-Ro était un long type sec aux lobes d'oreilles qui pendaient, ce qui lui donnait un air touchant de chien. Hortense se souvenait que, petite, elle avait peur de lui parce qu'elle l'avait vu brandir des poules par les pattes, tête en bas. À cette époque, elle était convaincue qu'il pouvait faire ça à tous les êtres de la terre, y compris elle-même.

Petit bout du journal d'Hortense

Jean-Ro était content de me voir, il m'a fait une grosse

bise. On lui a dit qu'on avait envie de voir les chatons. Il nous a expliqué qu'il aurait fallu s'en occuper dès leur naissance mais il n'avait pas eu le temps avec le boulot à la laiterie, quant à Sidonie elle en était incapable.

— De quoi? a demandé Muguette.

Jean-Ro a baissé les yeux sur elle. Jusque-là, on aurait dit qu'il n'osait pas, à cause du fauteuil roulant. Et même, il a détourné la tête, mais c'est parce que Muguette avait un drôle de regard glacé comme une hache, brûlant comme un charbon.

— Venez.

Il nous a conduites jusqu'au coffre de la camionnette, l'a ouvert. Quatre petits amours étaient là, empilés comme des poings dans une poche. Ça faisait presque peur de les voir si minuscules. J'ai demandé:

— Vous allez les donner à qui?

— Personne n'en veut. Sidonie a passé une annonce dans le journal de la mairie. Personne. Y a eu trop de portées ce printemps et cet été. Novembre, tout le monde a eu sa dose.

J'ai baissé les yeux vers Muguette. C'est elle qui m'a fait peur. Vraiment peur. Elle avait des frissons, elle respirait fort. Elle avait des taches roses sur les joues. Elle a subitement hurlé:

— Ne les tuez pas! S'il vous plaît! S'il vous plaît!

Elle a éclaté en sanglots, et moi, j'ai eu l'impression que mon cœur se décrochait et tombait dans mes genoux, j'avais envie de pleurer aussi. Muguette a continué de hurler, elle s'est levée du fauteuil et a commencé à frapper Jean-Ro à la poitrine. Il n'avait pas l'air d'avoir mal, il avait l'air désolé. Il murmurait:

— Chut, cocotte, calme-toi, c'est la vie, qu'est-ce qu'on y peut...

Moi j'avais envie de lui dire que c'était pas la vie, mais la mort. Et Muguette secouait la tête dans tous les sens, on aurait cru qu'elle allait s'évanouir, elle n'arrivait plus à respirer, et elle pleurait, elle hurlait ne les tuez pas, s'il vous plaît... À la fin, Jean-Ro l'a soulevée en l'air et l'a emportée vers la laiterie, moi derrière eux. Il a dit à Sidonie : « Tiens la gamine, elle une crise de nerfs. » Sidonie a pris Muguette à son tour (je crois que même moi je pourrais la porter tellement elle est fine), elle l'a installée dans le bureau, a fait chauffer du lait et nous a donné des biscuits.

Je crois que c'est de voir Muguette si fragile au fond de la chaise, l'air d'un petit chat elle-même, que l'idée m'est venue. J'ai profité que Sidonie ne faisait pas attention pour ressortir à toute vitesse. J'ai couru vers la camionnette. Le coffre était resté ouvert. J'ai pioché un chaton au hasard et l'ai glissé dans la poche de mon manteau.

Quand je suis revenue à la laiterie, Muguette ne disait plus rien. Même pas merci ou ça va, rien. Sidonie m'a fait signe de la suivre dans une pièce derrière. Je sentais, dans ma poche, le chaton qui se tortillait, tout chaud, contre ma cuisse. J'avais peur qu'il miaule. J'ai fait exprès de parler, de toussoter, de me racler la gorge à tout bout de champ.

— La pauvre, a dit Sidonie, qu'est-ce qu'elle a ?
— C'est les chats...
— Ça je sais. Je veux dire, de quoi est-elle malade ?
— Je ne sais pas, dis-je.

C'est vrai... Je ne connaissais pas le nom de sa maladie. Je ne savais même pas si c'était grave. Ni si c'était fini ou si elle allait guérir. Sidonie a posé sa main sur mon dos. Elle a dit:

— Écoute. On ne peut pas garder les bestiaux, mais tu lui diras qu'on les a donnés, d'accord? Qu'on a trouvé des gens. Mieux vaut mentir que la mettre dans un état pareil.

Le bestiau, celui de ma poche, ne bougeait plus. Comme s'il avait compris qu'il ne fallait pas moufter. Je l'ai caressé. J'ai dit:

— D'accord.

Puis on est revenues.

Muguette m'a jeté un regard, comme si je l'avais trahie. Mais quand elle verrait le petit chat... au moins un de sauvé. Un de sauvé et c'est toute la terre qu'on sauve. Maman disait ça. Je ne suis pas sûre qu'elle ne disait pas ça simplement pour nous consoler.

On a repris la direction de la route. Mais comme il commençait à faire nuit et vraiment froid, j'ai dit qu'on ferait mieux de rentrer en bus. Muguette ne décrochait plus un mot depuis la laiterie. J'ai sorti le chaton de ma poche. Il tenait au complet dans ma main, et je n'ai pas une très grande main. J'ai dit:

— Regarde.

Ses yeux n'en ont pas cru leurs yeux. Elle a renversé la tête sur le dossier du fauteuil roulant et elle a hurlé de rire. Je me suis sentie bien. J'ai souri.

On a failli manquer le bus! Le chauffeur nous a aidées à plier le fauteuil et à l'installer dans le compartiment à bagages. Et on est allées s'installer au fond, toutes les deux. Une fois sur la banquette, elle a ouvert la couverture qu'elle tenait toujours... Et c'est moi qui ai explosé de rire.

Il y avait le reste des chats, trois petits endormis en rond. J'ai placé le quatrième, c'était un noir et blanc, parmi eux. Et on a rigolé encore longtemps, avec Muguette.

Mais on n'était pas sorties de l'auberge.

10

Tempête sur la côte
et
dans les cœurs

Une brise balaya les côtes de Finlande, mit le cap sur l'Écosse où elle gagna en force, en froid et en tourbillons, elle continua à folle allure vers la France où elle montra à tous ce qu'est un bon gros début d'hiver.

Le néon du petit Eskimo colorait en bleu la doudoune rose de Bettina, du coup la doudoune était violette. Le nez de Bettina violet également. De froid. Et aussi ses lèvres. Elle s'abrita sous un auvent. Elle pensa oh mon Dieu je suis en train de l'attendre, je pèle de froid, et je suis ridicule.

N'empêche. Elle avait laissé Denise et Béhotéguy sirotant leur chocolat chaud à l'Ange Heurtebise. Elle les envia.

N'empêche.

Merlin apparut soudain sous le porche, la nuit de novembre était tombée. En à peine un regard, Bettina avait reconnu sa silhouette en longueur, sa manière de fourrer le poing dans sa poche, avec détachement. Il dit au revoir à une collègue et il se dirigea seul vers le parking à vélos.

Bettina vérifia que personne ne le suivait. Elle courut vers lui.

Le bruit de ses pas lui fit lever la tête. Il était en train de défaire son antivol, accroupi. Il lui jeta un œil par-dessus l'épaule, sans la moindre expression d'étonnement, de colère, ou de n'importe quoi, sur son visage tranquille. Elle pensa oh mon Dieu qu'est-ce que je vais bien pouvoir lui...

— Bonjour !

Il répondit :

— Bonjour.

Elle pensa oh mon Dieu c'est pas gagné. Et elle s'accroupit à côté de lui, près de la roue du vélo.

— Je voulais te voir. Je voulais déjà te voir l'autre jour, quand...

Il ne répondit rien et libéra l'antivol. Elle pensa il n'a même pas vu que j'ai changé le roux de mes cheveux.

— Laisse-moi t'expliquer, dit-elle. Depuis qu'on se connait, je...

— Tu ne me donnes jamais l'impression qu'on se connaît, Bettina. J'ai même l'impression que tu fais tout pour avoir l'air du contraire.

Il disait la vérité. Pourquoi est-ce que ça faisait si mal ?

— C'est faux, mentit-elle. Pourquoi je ferais ça ?

— Je ne sais pas. Toi tu dois le savoir.

Elle baissa la tête. Merlin se releva, empoigna le guidon et poussa le vélo devant lui. Elle se redressa d'un bond et le rattrapa. Ils marchèrent un moment côte à côte, dans les rafales d'hiver, silencieux. Elle pensa oh mon Dieu j'aimerais vraiment, tout de suite, qu'il m'embrasse et me dise qu'il ne m'en veut pas. Elle mordilla le pouce de son gant.

— L'autre jour, commença-t-elle, à la fête de Gersende...

— Oui ?

— J'aimais bien quand on dansait.

— Moi aussi.

Il alluma la lanterne au-dessus de la roue.

— Je peux être tellement débile, des fois... Je voudrais que tu m'excuses. Je le veux très fort.

Il ne répondit rien, poussant son guidon. Le néon du petit Eskimo n'était plus qu'une lueur sur le trottoir, derrière.

— Je ne t'en veux pas, Bettina, je t'assure. Mais tu vois, ce jour-là, tu as changé quelque chose. Comme si tu avais fermé une porte pour toujours.

Pour toujours. Elle tira sur le gant de sa main droite, le rangea, posa la main sur le guidon, à côté de sa main à lui qu'elle n'osa pas toucher.

— Pour moi aussi ça a changé quelque chose. C'est vrai. Je suis...

Elle ravala le mot « amoureuse » qui lui venait. Elle dit :

— ... différente.

Il la regarda, comme on regarde un petit animal qu'on aime bien mais qui a pris toute la place sur le canapé où on a justement envie de s'installer.

— C'est bien, finit-il par dire.

Il coinça le bas de son pantalon dans ses boots. Se redressa.

— Tu as changé la couleur de tes cheveux…

— Tu n'aimes pas ?

— Tu es toujours jolie.

Elle songea mon Dieu, c'est pour toi, c'est pour toi. Il dit soudain :

— Excuse-moi, je dois rentrer. Salut.

Elle le regarda enfourcher son vélo et filer vers le carrefour. Elle pensa mon Dieu il faut que je le rappelle. Vite. Puis elle pensa s'il croit que je vais le supplier ! Puis oh mon Dieu si ça se trouve c'est la dernière fois que je le vois !

— Salut, murmura-t-elle.

Le vélo avait disparu depuis une bonne minute.

*
* *

La veille de son monologue devant Lermontov, Hortense fut saisie de violentes crampes d'estomac. Elle ne dit rien à personne, mais les crampes la torturèrent une bonne partie de la nuit. Au matin, Geneviève, effrayée par sa mine et ses cernes, voulut appeler Basile.

— Ah non ! Pas de Basile. Pas de toubib. J'ai mal dormi c'est tout.

Heureusement, ce jour-là elle n'avait cours que le matin. Pendant la géo, elle alla s'enfermer dans les toilettes pour réviser ses tirades. Elle avait répété, répété tous les jours avec Muguette, et c'était comme si son cerveau était passé au lave-linge, 95 °C, blanc très sale, avec Javel. Elle s'assit sur la lunette du W-C et fondit en larmes.

À midi, Muguette vint déjeuner avec elle à la Vill'Hervé. Mais comme il y avait aussi Enid et Gulliver, elles ne purent rien se dire à propos des chatons. Ce n'est que lorsque les deux petits quittèrent la maison que Muguette secoua allégrement le bras d'Hortense, les yeux brillants.

— Je les ai planqués au grenier près du chauffage. Je me suis levée quatre fois cette nuit pour leur donner du lait. Mais ils mangent moyennement. J'ai peur qu'ils meurent... Tu m'écoutes?

— Oui.

— J'ai une idée.

L'idée, c'était de kidnapper la Zaza, leur mère, de l'installer avec eux au grenier jusqu'à ce qu'ils soient sevrés.

— Mais la Zaza appartient à Sidonie. Si elle la croit perdue, elle aura du chagrin.

— On la rendra. (Muguette fit une moue suppliante.) Sans quoi ils vont mourir.

C'est ainsi qu'elles se retrouvèrent, une heure plus tard, en train de ramper aux alentours de la ferme.

Petit bout du journal d'Hortense

Muguette n'a évidemment pas pris le fauteuil roulant. Question d'invisibilité. On a fait la route à pied. En arrivant, elle était épuisée. Elle s'appuyait à mon bras, je l'entendais respirer alors que d'habitude non. Mais, coup de bol: la Zaza se léchait paisiblement sous l'auvent du poulailler. J'ai fait signe à Muguette de rester comme elle était, c'est-à-dire cachée derrière le mur, et je me suis faufilée, direction la Zaza qui se léchait. Et qui m'a regardée avec un genre de haussement de sourcils. J'ai minaudé deux, trois de ces borborygmes idiots qu'on fait aux chats, en regardant autour de moi mais il n'y avait personne, et je l'ai chopée. Ma Zaza s'est tortillée. Je me suis dit : quelles gourdes, on n'a pas pensé à prendre un sac ou quelque chose ! Je suis repartie en serrant la Zaza, jusqu'au mur où l'attendait Muguette.

Et j'ai eu la panique de ma vie. Muguette n'était plus là. C'est ce que j'ai cru. Puis j'ai vu qu'elle était écroulée par terre, toute blanche, les bras crispés autour de sa poitrine. J'ai lâché la Zaza qui s'est installée tranquillement plus loin, pour continuer à se lécher et voir ce que c'était que tout ce cirque. J'ai crié en chuchotant :

— Muguette ! Réveille-toi !

Je ne savais pas quoi faire. Je lui ai donné des tapes sur la joue gauche, la droite. Je me suis redressée, j'ai regardé autour et j'ai bramé :

— Au secours ! Quelqu'un !

— Tu vas la fermer, oui ? a grondé la voix de Muguette dans l'herbe. T'es folle de hurler comme ça !

— Tu avais l'air morte !

Elle s'est assise, doucement, sur l'herbe froide et desséchée

— Je suis tombée dans les pommes. Ça ne t'est jamais arrivé ?

— Non.

— Moi, tout le temps. C'est parce qu'on a trop marché, ça ne dure pas longtemps. Allez, aide-moi. Non, attends… Y a personne ?

Non. Miracle. Personne n'avait entendu mes cris.

— La Zaza.

Mais cette fois, la chatte ne se laissa pas faire. À nos imbéciles *mini minou*, elle s'est tirée au galop et on ne l'a pas revue.

— Faut trouver une autre solution.

— Pas aujourd'hui.

— Les petits vont mourir.

— À cinq heures, j'ai Lermontov et...

— On va chez le vétérinaire. Maintenant.

J'ai soupiré. J'ai dit OK, du moment que j'étais à l'heure chez Lermontov. On est parties chez le véto.

*
*   *

Journal d'Hortense (même soir)

Dans l'après-midi les crampes ont empiré. Mais pas question d'en parler. Même pas à Muguette. D'autant qu'elle était obnubilée par cette histoire de chats.

Je ne sais pas si la véto a gobé ce que Muguette lui a déblatéré (qu'on avait trouvé les bêtes dans une poubelle du centre-ville, derrière le théâtre des Burgraves, cette fille est vraiment Tarn-et-Garonne!) mais elle nous a conseillé de lui confier les chats. Son assistant s'en occuperait, les nourrirait avec du lait spécial, et une fois sevrés on trouverait à qui les donner. Moi, ça m'a paru magnifique. J'ai promis qu'on les apporterait.

Muguette, elle, a tout de suite tiré la tronche parce qu'il s'agissait de s'en séparer. Quand on est ressorties de chez la véto, je l'ai laissée prendre le car toute seule puisque j'avais Lermontov. J'ai aussitôt oublié les chats!

À mesure que je marchais, ma bouche prenait un drôle de goût, ma langue me tirait jusqu'aux oreilles. Et j'avais dans l'intestin une armada de sauterelles en pleine techno-parade.

Comme d'habitude, c'est Dédée qui m'a ouvert. En col roulé fil d'or, lorgnons, jupe turquoise décorée de tranches de pastèque, et *Suréna* de Corneille serré sous le coude gauche. Comme d'hab, tout cela lui allait divinement. Elle tira la langue au mur où Bette Davis dans *Eve* nous toisait avec dédain.

— Lermontov est d'une humeur à chier, dit-elle.

Banal. Sauf qu'aujourd'hui j'avais un texte… Lermontov m'a alpaguée sitôt que je suis entrée.

— Nous vous écoutons, Verdelaine.

— Tout… de suite?

J'ai secoué des miettes imaginaires de ma jupe grise sans pastèques. J'ai avancé en crabe vers l'estrade. L'idée que leurs yeux à tous suivaient mes pas et mes mouvements, ça me déprimait dix tonnes. Passé les trois marches de l'estrade, je n'ai pas eu le courage d'affronter tous ces regards; j'ai piqué du nez dans mon texte, j'ai ânonné :

— Leu Peutit maîtreu corrigé. Scèneu quatreu, acteu deux. C'est le moment où l'héroïne…

— Jouez.

J'ai respiré, ce qui me posait un paquet de problèmes avec ma langue et mes oreilles.

Puis, oh là là, ma voix a parlé.

À la deuxième réplique, les sauterelles cessèrent de trépigner. Mon cerveau s'est mis à fonctionner subliminal, à faire des zooms en pointillés : sur une écaillure de plâtre au mur d'en face; sur mes pieds qui ressemblaient à des barques. Et il y eut ces gouttes d'eau qui tombaient du plafond sur ma manche en points sombres.

Plus tard, Dédée m'a dit qu'elle avait pleuré quand j'avais pleuré. Mais j'entendais mal, mon cerveau faisait Maine-et-Loire, toujours ces zooms en pointillés. Les lunettes jaunes de notre professeur. Ses joues beuleup-beuleup. Son froncement de front, étonné, doux, presque amical. Et puis tous ces bras de filles et de garçons qui me serraient, me secouaient les épaules... Eh! Qu'est-ce que tu dis Dédée? J'ai pleuré? Moi? Où ça? Je croyais à des gouttes du plafond...

— Verdelaine! a rugi Lermontov. Vous aurez cent deux répliques à apprendre d'ici Noël!

— Noël? ai-je répété, ahurie. Cent deux répl...?

— Le rôle d'Hortense tout entier. Comptez!

Et j'ai enfin compris. On allait jouer *Le Petit-Maître corrigé* à Noël et Lermontov donnait à Hortense le rôle d'Hortense. Les sauterelles sont aussitôt reparties rock and roll.

— Mer... ci, monsieur.

— Magnez-vous les fesses, Verdelaine. Nous n'avons que quelques semaines. Foncez.

J'ai foncé. Droit aux toilettes.

*
* *

Basile reparut à la Vill'Hervé avec la tempête, une fin d'après-midi.

Il y trouva tout le monde, ou presque. Enid qui dessinait la carte de France sur un cahier et qui leva à peine les yeux sur lui, Bettina qui avait modifié un truc à ses cheveux (mais quoi?), Geneviève qui l'embrassa en tapotant gentiment le dos de son pardessus, ce qu'il n'aimait pas spécialement, et Gulliver qui disputait une partie de go avec Hortense.

111

— Bonjour, dit-il.

Il posa sa sacoche sur une chaise et s'assit en se lissant le sourcil droit du bout du doigt. Personne ne fit attention à lui.

— Où est Charlie? demanda-t-il au bout d'un moment.

— Ça dépend, répondit Enid par-dessus sa carte de France.

Enid traçait les fleuves. Son problème était de ne pas percuter le Rhône avec la Seine.

— Ça dépend? De quoi? dit Basile.

— De comment tu t'appelles.

Il avait parfois l'impression que les habitant(e)s de la Vill'Hervé parlait un langage à part.

— Si tu es Paul, expliqua Enid, elle ne rentrera pas avant demain. Si tu es Jean-Luc, elle est partie dîner avec Jacques. Si tu es Jacques, elle dîne avec Paul. Lequel es-tu?

Depuis ce matin, Basile avait vidé un furoncle, annoncé un cancer, découvert une appendicite et un ulcère, écouté les plaintes de Mme Pyramidonge, ce qui n'était pas rien, celles de M. Colocricoz, ce qui était pire. Il était lessivé. Néanmoins il lui restait une infinie patience.

— Je suis Basile, dit Basile. Y a-t-il un message pour moi?

— Basile? Attends, je réfléchis. Tu n'es pas ce garçon qui vient régulièrement nous faire un couscous?

— Je suis.

— Qui fait semblant de coucher dans le bureau

mais qui va rejoindre ma grande sœur dans sa chambre quand tout le monde est...

– Charlie est au grenier ! interrompit Geneviève. Elle sera contente de te voir !

Basile lui adressa une mimique de gratitude. Il se leva, passa près d'Enid, désigna sa carte de France :

– Attention, dit-il. Ta Bretagne copine comme cochon avec ton Languedoc-Roussillon.

Il disparut dans l'escalier. Bettina lui embraya le pas. Mais elle le laissa continuer seul en direction du grenier ; elle s'arrêta au premier. Et se barricada dans sa chambre pour la énième fois de la journée et de la semaine.

Elle s'étendit en travers du lit et contempla fixement un coin de l'oreiller. Ç'aurait pu être l'ourlet du drap. Ou les boutons de la couette. Mais l'oreiller était en face.

Elle repensait à chez Gersende, quand Merlin était apparu dans le couloir de lumière, l'avait prise dans ses bras et fait danser. Elle repensait à lui au cinéma. Sa façon d'être gentil, et drôle, et serviable. Elle repensait à la piscine, ses plongeons lyriques, son sourire poétique...

Elle aurait tout donné pour changer le film. Dialogues et scénario. Zapper ce qu'elle avait dit et fait de désagréable. Elle avait tant envie qu'il la reprenne dans ses bras, de lui dire qu'elle le trouvait beau. Elle avait même envie que... qu'il lui lèche la joue, tiens. Et tant pis si Denise et Béhotéguy trouvaient ça bêêêêrrkk.

Mais c'était foutu, trop tard. Et si douloureux qu'elle n'arrivait même pas à pleurer.

*
* *

Le vent tomba mais le froid demeura. Swift, la chauve-souris chérie d'Enid, avait cessé de venir se pendre au hêtre qui touchait les fenêtres. Elle partit hiberner dans sa caverne secrète avec les copines.

Geneviève était la seule à avoir encore envie de descendre sur la plage. Mais ce jour-là elle réussit tout de même à arracher Hortense à sa sacrée-bon-sang-de-pièce-de-théâtre pour l'aider à collecter varech et algues vertes. Elles enfilèrent bottes en plastique, cirés à capuche, écharpes, gants, et elles traversèrent la lande tachetée du dernier rose des bruyères.

Les galets sur la vase ressemblaient à des feuilles mortes.

— Bettina n'a pas l'air en forme ces temps-ci, dit Geneviève. Tu as remarqué ?

Oui, Hortense avait remarqué. Ce devait être une histoire de garçon. Il y avait toujours des garçons dans les états d'âme de Bettina.

— Un peu, répondit Hortense, qui n'avait pas envie de parler de Bettina.

— Regarde ça ! s'exclama Geneviève en soulevant une lourde guirlande d'algues.

Elles marchèrent en silence sur le gris mouillé du sable.

— J'espère que ce n'est pas grave, ajouta Geneviève.

Son esprit était revenu à Bettina.

— Je crois qu'elle est malheureuse, dit-elle. Je le suppose car, au fond, elle ne nous dit rien. Je veux dire, sur elle.

Elle-même ne disait pas grand-chose à ses sœurs. Par exemple, elle n'aurait pas su préciser les raisons qui lui faisaient dissimuler ses cours de boxe thaïe. Elle savait seulement qu'elle ne voulait pas en parler. Et pour Enid, Hortense, Charlie et Bettina, ce devait être pareil. À cinq on ne peut pas se parler de tout. Ni même à deux d'ailleurs.

— Et toi ? dit-elle, avec un sourire, à Hortense qui rinçait une pelote d'algues dans l'eau de mer. Tu caches aussi des trucs à tes quatre sœurs ?

Elle fut à peine surprise de la voir rougir. Elle la prit affectueusement par le cou et l'embrassa sur la frange. L'autre lui jeta le lourd regard de ses yeux sombres. Geneviève rit encore et se dit qu'Hortense deviendrait probablement une belle fille aux yeux de velours noir, qu'elle l'ignorait, que c'était très bien comme ça.

Un appel transperça le chuintement des vagues. Elles levèrent la tête, vers là où la falaise enjambait les flots de son pas de géante. Muguette descendait la pente à toute allure.

— Doucement ! lui cria Geneviève. Ne tombe pas.

Muguette ne tomba pas, mais était à bout de souffle en arrivant en bas. Hortense et Geneviève furent surprises de voir qu'elle pleurait. Muguette s'agrippa à Hortense.

— Les petits chats… haleta-t-elle.

— Oui ? Quoi ?

— Il y en a un, il est en train de mourir. Il ne bouge pas.

— C'est la véto qui t'a appelée ?

Muguette secoua la tête. Elle reprit son souffle et dit tout bas :

— Ils ne sont pas chez elle. Je t'ai dit que je les y emmenais, mais j'ai menti. Ils… Ils sont toujours ici, au grenier.

Elle éclata en sanglots bruyants. Geneviève s'avança, posa son sac d'algues sur le sable et dit :

— Je ne comprends rien.

Petit bout du journal d'Hortense

Quelle idiote. Mais quelle iiiiiiidiote. Cette fille est complètement Deux-Sèvres.

*
* *

— Je ne comprends pas, dit Denise à Bettina. Pourquoi tu cachottes ? On est tes amies. Si tu craques pour ce mec, tu peux nous le dire.

— Tu as honte de lui ? glissa Julianne.

Bettina regarda les gâteaux qu'on apportait sur la table. Elle pensa c'est drôle, je n'ai même pas envie de leur casser la figure, je devrais pourtant, non ?

Béhotéguy posa une brioche sur l'assiette de Bettina. Bettina repoussa l'assiette. Elles étaient à l'Ange Heurtebise, avec Gersende, Clovis, Hippolyta, Julianne, Jeannine. Tous l'avaient vue danser avec Merlin. Elle pensa il y a des siècles de ça dans une autre vie.

— En tout cas, fit Julianne en plongeant son cake dans sa tasse, ce type dansait bang-fulgurant.

Elle fit signe à Isild, au comptoir, de venir les rejoindre mais Isild était avec son Jean-Rachid chéri et tous deux s'installèrent au flipper numérique…

— Moi, reprit Jeannine, quand j'étais raide Colorado de Wolfgang Phuong, en septembre, je le racontais à tout le monde !

— Qu'est-ce que tu ne racontes pas à tout le monde ? dit Hippolyta.

— Quand j'ai mes règles, répliqua Jeannine du tac au tac.

On pouffa. Sauf Bettina.

— Moi, je le trouve mignon, murmura Gersende, rêveuse.

— Wolfgang Phuong ?

— Wolfgang Phuong aussi. Mais je parle du livreur de surgelés.

— Tu rigoles ! Il a des… commença Julianne qui reçut un talon de Sketchers dans les chevilles (elle ne sut jamais de qui).

Bettina se redressa tout à coup et se pencha pour les dévisager tour à tour, et dans les yeux, eux, ses amis, Julianne, Hippolyta, Béhotéguy, Denise, Gersende, Clovis, Jeannine. Une sorte de flamme remuait ses yeux, comme si elle louchait, mais personne n'eut l'idée de rire, car cette flamme bizarre faisait peur.

Elle parla, articulant et martelant la table avec la brioche de Béhotéguy au rythme de sa respiration rauque :

— Il s'appelle Merlin. J'ai dansé avec lui. Je suis allée au cinéma avec lui. Et à la piscine aussi. Il a voulu m'embrasser, je l'ai repoussé. Il a voulu que je lui présente mes amis, je l'ai caché. C'est un garçon bien et je l'ai blessé. Et vous savez quoi ? Je regrette. Je le regrette comme jamais je n'ai regretté quelque chose. Maintenant je voudrais qu'il soit là, ici, avec moi, au lieu que ce soit vous. Maintenant je voudrais qu'il me prenne dans ses bras ! Qu'il m'embrasse ! Qu'il me lèche la joue ! Voilà.

Elle tremblait. Tout le monde la fixait en silence. Même le flipper s'était tu.

Bettina ramassa son sac à dos, repoussa sa chaise avec la cuisse, et sortit. Elle traversa en courant les deux rues qui la séparaient de l'arrêt de bus.

Elle attendit le bus, toute droite, son sac pressé sur le ventre, la bouche serrée. Quand il arriva, elle monta, s'installa sur le dernier siège de la dernière rangée, là où personne ne pouvait la voir sangloter.

11

Quatre petits chats et un gros rat

Hermine Lesbettes, comme son nom l'indique, est docteur vétérinaire. C'est à elle que Muguette a consenti à confier la vie et l'avenir de Rhésus, Cathéter, Greffon et Transfusion, les quatre chatons rescapés.

Lorsque Muguette leur rend visite en cette fin de matinée, Hortense l'accompagne. Le Dr Lesbettes leur montre comment on donne le biberon, où ils dorment, où ils jouent, elle leur apprend aussi que trois d'entre eux sont déjà réservés grâce à l'annonce punaisée dans la salle d'attente. Qui ? Qui ? demandent-elles. Un jeune garçon nommé Toni dont le chat malade est mort l'année dernière, et une dame qui en prend deux pour sa mère qui vit seule.

– Ah. Ils resteront donc ensemble, ceux-là, note Hortense.

Le Dr Lesbettes soulève les chatons comme si elle ramassait des torchons trempés, les remet dans leur panier, et le panier dans une grande cage. Muguette continue d'être silencieuse.

Quand elles quittent la clinique du Dr Lesbettes, il reste cinquante minutes avant le prochain car.

Elles décident d'aller voir les vitrines de Noël en ville. Elles admirent un bon moment l'éléphant en mousse qui fuit sur son tapis roulant pourchassé par des souris en feutrine. Et les singes en peluche et en toque blanche qui font sauter des crêpes suspendues à des fils invisibles.

— Tu savais que Laurel est devenu hémiplégique quand Hardy est mort ? dit subitement Muguette.

Hortense arrondit ses doigts gantés de laine autour de ses lèvres et souffle un jet de vapeur. Pour gagner du temps. Que peut-elle répondre ? La question de Muguette sort tellement de nulle part. Pourquoi parle-t-elle de Laurel et Hardy ? En plus, Hortense n'est pas sûre du sens d'« hémiplégique ». Ni si Hardy est le gros ou le maigre.

— Ah ? dit-elle simplement.

Muguette lui jette un regard aigu sous des sourcils creusés.

— Tu sais ce que ça veut dire ?

— Quoi ?

— Hémiplégique.

— Qu'il est tombé malade ?

— Malade quel genre ?

— … d'une hémiplégie. Non ?

Muguette donne un coup de moufle dans la vitrine. Une petite fille la dévisage avec intérêt en grignotant une pomme d'amour vermillon.

— Et c'est quoi une hémiplégie ? insiste Muguette d'une voix toute basse et aiguë à la fois, comme si elle se retenait de crier.

Hortense a envie de répondre : « Ce que tu peux

être chiante ! » Et profite d'un mouvement de la foule pour se laisser porter vers la vitrine suivante. On y voit des cosmonautes argent qui cabriolent dans l'espace pendus à des fils, comme les crêpes. Muguette resurgit bientôt avec, derrière, la petite fille dont la pomme d'amour penche vers sa manche.

— Alors ? C'est quoi ? revient-elle à la charge.

— De quoi tu parles ? s'énerve Hortense.

— Tu sais. Hémiplégique.

La gamine à la pomme d'amour les scrute sous le nez, fascinée ; Muguette ne fait pas du tout attention à elle.

— Réponds ! hurle-t-elle, mais sans vraiment hurler : elle a juste l'air.

— Mon pépé il est tombé hémiplégique ! dit tout à coup la fillette à la pomme. Maman, elle dit : « Pépé, il est tombé hémiplégique le jour de mon anniversaire. »

— Et ça veut dire quoi ? souffle Muguette sans lui accorder un regard mais en fixant Hortense.

Une clameur stridente monte des enfants autour. La pomme d'amour penche encore, et reste collée sur la manche de Muguette (qui ne voit rien). C'est que les cosmonautes se sont mis à se lancer des lasers bleus, orange, dorés. La vitrine semble exploser sous le feu d'artifice et les cris d'enthousiasme.

— Ça veut dire qu'il peut plus conduire sa Clio, répond la petite fille. Quand on est hémiplégique, on peut pas conduire une Clio. Ma mère, elle me l'a dit.

Stan Laurel ne pouvait donc pas conduire une Clio. Point barre. Hortense a bien envie de répondre ça, mais Muguette pourrait piquer une crise de nerfs. En outre, une idée lui frappe l'esprit :

– Le car ! Il reste huit minutes !

Elle sort de la cohue en deux bonds et court vers le trottoir d'en face où il y a moins de monde. Elle court entre des paquets, des sacs en plastique, des rollers, des uniformes gris et rouge qui chantent *Adeste fidelis* au son de carillons.

Elle se retourne. Muguette a disparu. Ah non, elle est là-bas... C'est difficile pour elle de courir. D'ailleurs elle ne court pas puisqu'elle a du mal, mais ne veut pas montrer qu'elle a du mal. Alors elle marche. À son rythme. En faisant semblant d'admirer le paysage.

Hortense revient sur ses pas. Plus que trois minutes jusqu'au car. Elle rejoint Muguette qui feint de seulement l'apercevoir.

– Rien ne sert de courir quand on est avec moi, tu sais. Ça finit toujours qu'il faut m'attendre. Et tu fais le chemin deux fois.

Elles interceptent le car au moment où il démarre. Comme toujours, elles s'installent au fond. Si Muguette lui redemande le sens du mot hémiplégique, Hortense la plantera là pour aller s'asseoir devant. Mais Muguette ne dit rien et on roule.

Hortense commence à se détendre et à penser que son amie a oublié quand soudain, d'une voix douce, Muguette dit :

– La moitié de Stan Laurel est tombée paralysée

quand Oliver Hardy est mort. C'est ça hémiplégique.

Elle aligne les doigts de ses mains, examine ses ongles comme s'ils étaient la chose la plus importante du monde.

*
* *

Hortense ouvrit son cahier intime en faisant tourner les pages à rebours. 96 pages. Son quatrième cahier en deux ans. Hortense éprouvait un vrai chagrin à mesurer qu'une année de sa vie tenait en 192 pages.

Elle alla chercher le premier des quatre cahiers dans le tiroir intérieur de l'armoire.

Il était rouge comme les autres, mais elle savait qu'il était le premier parce que... eh bien, à son air de premier. Elle le pinça et fit défiler les pages. De temps en temps, elle stoppait, lisait quelques lignes, recommençait. Cela donna à peu près ceci :

Papa a dit hier que Charlie commençait à nous les casser sérieux avec ses histoires de mecs. Il a raison, à entendre notre chère grande sœur, tous les garçons de la fac et de la terre veulent se jeter par la fenêtre pour elle.

Hortense fixa le mur.

Charlie avait renoncé à la fac, à ses études de médecine, à tous les garçons de la terre, pour prendre en main le destin de ses sœurs et de la Vill'Hervé.

Geneviève a cassé une assiette hier, dans la cuisine. Exprès. Juste pour entendre le son que ça faisait. C'est ce qu'elle a fini par avouer. Moi je dis que notre chère Geneviève, sous ses airs de grande belle blonde sereine, est la plus folle de nous toutes. Mais je suis la seule à le savoir.

Hortense fixa le mur.

Papa et maman sont morts. J'écris ces mots et ça ne veut rien dire, rien, rien du tout. Maman et papa sont morts vendredi et je…

Hortense fixa le mur.

Changer de page vite, vite.

J'ai regardé dans le frigo tout à l'heure. Il y avait des yaourts achetés par maman, des compotes, du riz au lait, du jambon en tranches, de la moutarde… des trucs qu'elle avait achetés avant sa mort. Et j'ai sangloté en pensant que la date de mort de toute cette nourriture arrivait APRÈS celle de maman et papa. Je l'ai imaginée en train d'acheter ces compotes, riz, moutarde, jambon, de vérifier les dates de péremption sans se douter qu'ils allaient lui survivre.

Hortense fixa le mur.

Longtemps elle avait caché dans un coin du cellier une gelée de pomme que sa mère avait confectionnée deux semaines avant l'accident.

Un matin, Charlie avait découvert le pot où la gelée avait pourri… et l'avait jeté. Hortense avait réagi avec une violence qui laissa ses sœurs pantoises. Elle cria, hurla, pleura, cassa, piqua la plus belle crise de nerfs de sa vie. Elle était allée fouiller la poubelle au bout de l'impasse, mais les éboueurs étaient passés. Plusieurs jours elle ne parla à personne.

Fred Astaire. Hier, Gene Kelly. Les comédies musicales me remplissent de bonheur et me font pleurer de tristesse. Il y a donc des bonheurs tristes?

Hortense fixa le mur.

Les comédies musicales. C'était la période, après l'accident des parents, où elle se montrait tellement odieuse que ses sœurs l'avaient envoyée chez tante Lucrèce. « Ça te fera du bien. » Hortense se fichait que ça lui fasse du bien ou du mal. Elle avait envie de cracher sur l'univers vivant. Elle avait donc passé trois semaines avec Delmer et tante Lucrèce.

Contre toute attente, elle avait apprécié. Tante Lucrèce était avare, ronchon sur tout, et tout le temps. Elle ne regardait que des comédies musicales en noir et blanc ou Technicolor vieilles d'un siècle, faisait des soupes de cresson, des mijotés à la crème, des semoules au lait d'amande, elle tricota à Hortense une écharpe mauve au point de coquille, crochet 4, en écoutant Sinatra, Vic Damone et Engelbert Humperdinck. Et Hortense se prit à éprouver quelque chose qui s'apparentait à la pose d'une pommade fraîche sur une brûlure vive.

Aujourd'hui, je descends à la cave chercher de vieux journaux pour le feu. Soudain, un cri! Un hurlement qui me dresse les poils. Je remonte dare-dare. Une voix contrite m'arrête: «Pardon, je t'ai fait peur?» Geneviève. C'est elle qui hurlait. Toute seule dans la cave. Elle m'a expliqué, tu sais, c'est tellement dur depuis que maman et papa… Je suis tombée dans ses bras et on a pleuré ensemble sous les tresses d'oignons.

*
* *

À 0 h 10 cette nuit-là, personne, pas même Charlie et Basile, n'entendit Bettina descendre sur la pointe des pieds jusqu'à la cuisine. On l'entendit encore moins débrancher le congélateur. Ou plutôt si, il y eut quatre oreilles : celles de Roberto et Ingrid qui, toujours prêts aux agapes, emboîtèrent allégrement le pas à la jeune fille malgré l'heure tardive. Mais comme personne par la suite n'eut l'idée de les interroger, et qu'ils étaient de nature fort discrète, on n'en sut rien.

*
* *

À 8 h 10, le lendemain matin, tout le monde entendit le juron strident que poussa Charlie lorsque, fonçant ressusciter Mme Chaudière dans son local, elle se retrouva les pieds noyés sous six centimètres d'eau.

— Saloperie ! brailla-t-elle d'une voix si puissante que toute la maison rappliqua, excepté les chats qui déguerpirent. Sans compter cette autre saloperie qui me gonfle chaque jour un peu plus !

Les saloperies en question étant respectivement Mycroft et Mme Chaudière.

— Qu'est-ce qui se passe ? s'informa Geneviève du seuil où tout le monde stoppa pour cause de sol immergé.

— Un tuyau qui a pété ? suggéra Enid.

Basile, en pyjama, retira ses pantoufles et, courageusement, fit un pas. Bettina l'admira d'esquisser à peine une moue quand l'eau glacée lui avala les chevilles.

— Saloperie de rongeur ! répétait Charlie folle de rage. Il va le payer ! Et si tu me dis encore, continua-t-elle en fixant hargneusement le pauvre Basile, qu'il a une famille à nourrir, je… !

Il lui donna un gros baiser qui claqua sur sa joue comme un écho aux clapotis autour de leurs orteils.

— Voyons, dit-il, apaisant. Quel rapport entre cette Bérézina et notre Mycroft ?

— Ce n'est pas NOTRE Mycroft ! tonna Charlie.

Elle prit une respiration pour rassembler son calme, son flegme et son sang-froid. Après quoi elle reprit, la voix tremblante :

— Il a arraché la prise du congélo. Ce qui signifie que cet être malfaisant...

— ... et vil, compléta Hortense.

— Hein ?

— Je dis : cet être malfaisant et vil...

— ... a fait fondre la glace du congélo pour nous empêcher de bouffer ! Et nous ruiner !

Charlie ouvrit le congélateur. Tous poussèrent le même cri d'horreur. Bettina seule ne dit rien et détourna le regard.

— On dirait une décharge.

— L'estomac de Gargantua...

— Lors d'une digestion particulièrement pénible...

— Quand il est sur le point de gerber...

— Mais qu'il n'y arrive pas.

Petits pois, oignons, tagliatelles et pizzas baignaient dans une mosaïque de liquide marron, jaune et vert ; un gigot flottait sur des framboises écrasées, les épinards baignaient dans le tiramisù...

— C'est moi qui vais gerber.

Charlie referma la boîte de Pandore.

— Saleté ! pesta-t-elle encore mais avec résignation. Au moins dix heures pour nettoyer ça ! Et je ne parle pas du pognon que tout ce gâchis nous coûte !

— Je propose qu'on petit-déjeune avant, dit Basile.

— D'accord !

— Tu es sûre que c'est Mycroft ?

— Tu nous connais d'autres ennemis ?

— On va faire d'urgence une nouvelle commande.

Si Bettina, malgré sa honte, sa culpabilité et son horreur d'elle-même, sentit son cœur faire l'équivalent d'un saut de cent soixante-sept mètres à l'élastique dans le vide céleste, c'est que cette phrase, elle l'attendait de toute son âme depuis qu'elle avait arraché la prise du congélateur cette nuit.

Nouvelle commande. Nouvelle livraison.

Pardon Mycroft, pensa-t-elle en fermant les yeux. Ce n'est pas contre toi, c'est juste pour revoir Merlin.

12

Ne vois-tu rien venir?

Chez Nanouk Surgelés le délai de livraison habituel était d'environ deux jours. Pour oublier qu'elle attendait, Bettina usa d'un tas de tromperies vis-à-vis d'elle-même. C'est ainsi que :

JOUR 1, MATIN :
Elle essaya de lire un roman où l'héroïne disait : « Je suis brune, j'ai les yeux noisette, pourtant je suis jolie. » Phrase qu'elle lut trente et une fois avant de laisser le livre en plan et de monter dans sa chambre se tatouer un perroquet aubergine sur la clavicule. Elle se maquilla les cils jusqu'à ce qu'ils ressemblent à des oursins. Elle essaya onze échantillons de rouge à lèvres dont *Myrtille Torride* et *Celebrity Poivron*. Elle se démaquilla en se trémoussant sur le dernier tube des Cherokee Wasp. Enfin elle s'écroula à plat ventre sur le lit et ne remua plus.

JOUR 1, APRÈS-MIDI :
Bettina regarda *Les Simpson*. C'était l'épisode où Homer Simpson échoue sur une île du Pacifique, et lèche le dos de petites grenouilles rouges dont le goût

lui rappelle sa bière préférée. Un sauvage lui dit : « Si Dieu est tout-puissant, Il devrait s'en foutre d'être vénéré ou non. » À quoi Homer répond que Dieu est aussi névrosé que Barbra Streisand avant son mariage. Bettina, assommée, finit par se réfugier dans ses pénates. Elle écouta *Monsieur William* à tue-tête, enfila ses Sketchers dorées en chantant Qu'alliez-vous faire dans la Treizième Avenuuuuue ? Elle mit un caleçon à paillettes et un maillot anis à pastilles léopard. Puis un tricot violine aux coutures zèbre, puis un jaune à incrustations prince-de-galles, et un argenté piqué de boulettes en cuir.

À la fin, elle envoya tout valser aux quatre coins, elle s'allongea en culotte et seins nus, et ne bougea plus.

JOUR 2, MIDI :

Bettina se brossa les cheveux, tête en bas. Cent vingt coups de brosse, comme dans les romans à crinolines. Après quoi elle s'enferma à clef pour écouter seize fois de suite *Préparez votre, préparez votre pâte, dans une jatte, dans une jatte plate*, de *Peau d'Âne*, immobile par terre, contemplant en alternance son pied gauche et la rayure en forme de flèche du papier peint.

JOUR 2, SOIR :

Elle fit son devoir d'anglais, son devoir de chimie, ceux d'histoire et de maths, puis elle rédigea une fiche de lecture sur Émile Poupard, poète du XIXᵉ siècle. Soudain elle aperçut ses ongles qu'elle trouva urgent de limer. Ce qu'elle fit. Puis s'accouda à son bureau. Resta immobile à fixer l'espace.

*
* *

Enid, ce même soir, s'enferma dans les toilettes pour faire pipi et s'entretenir avec son ami le Gnome de la Chasse d'Eau. Ça faisait longtemps qu'ils ne s'étaient pas parlé. Elle lui racontait ce qui lui passait par la tête, il répondait en tapotant doucement le tuyau derrière la cuvette. Il s'agissait d'une véritable conversation.

— Depuis que papa et maman sont morts, lui dit-elle, Noël c'est moins bien. Même s'il y a toujours des cadeaux. Je suis moins contente. Tu comprends ?

Oui, répondit le Gnome par deux coups légers au tuyau.

— Ce soir on mange des lasagnes au chou, continua-t-elle, sans s'excuser du changement de sujet (c'est ça qui était bien avec le Gnome, il ne s'offusquait de rien, il aimait la variété). Ça veut dire qu'on n'a plus assez de sous jusqu'à la prochaine paie de Charlie, alors on va bouffer des lasagnes au chou jusqu'à la fin du mois. J'espère que Charlie a prévu autre chose pour Noël.

Elle avait fini de faire pipi mais elle resta assise afin de prolonger l'entretien.

— Moi, continua-t-elle, ce que j'aimerais comme cadeau, c'est un Kyppy. C'est en peluche, c'est pas vraiment un animal. Enfin, pas un connu. Tu lui touches les oreilles il dit : « Tu me chatouilles », tu lui touches le nez, il dit : «Atchoum, je suis désolé», tu lui touches le ventre, il dit qu'il a faim et qu'il veut manger des topinambours... C'est comme si on lui parlait vraiment.

Elle songea qu'elle le vexait peut-être et précisa aussitôt :

— Enfin, ce n'est pas comme avec toi. Lui, il est électronique... Mais je ne peux pas m'enfermer tout le temps aux W-C pour parler, tu comprends ça ?

Le Gnome émit un petit toc de sympathie. Le carillon de l'entrée interrompit l'entretien.

— Je vais ouvriiiiir ! hurla Bettina dans le salon.

Enid l'entendit passer en trombe devant la porte des toilettes. Elle laissa momentanément le Gnome et tendit l'oreille. Depuis plusieurs jours, Bettina avait l'air d'attendre... Quoi ? Une visite ? Un coup de fil ? Elle avait une drôle d'expression, celle de Panoramix quand il reçoit un menhir sur la tête dans *Astérix et le Combat des chefs*, qu'il ne se souvient de rien, et qu'il appelle ses amis : «Monsieur ? »

Après la cavalcade, Enid perçut un silence (Bettina devait s'admirer dans le miroir du portemanteau), puis la porte de l'entrée qui s'ouvrit très lentement, avec prudence, comme si Bettina accueillait Jack l'Éventreur.

— Nanouk Surgelés ! s'exclama une voix.

*
* *

Sur le seuil, le livreur de Nanouk Surgelés portait des baskets jaunes, un blouson en laine orange,

132

de gros gants assortis ; une queue-de-cheval retenue par une barrette rose, et le même rose sur les joues.

– Hello, Lucinda, murmura Bettina.

Lucinda était la jeune fille qui livrait les produits Nanouk bien avant l'apparition de Merlin.

– Bonjour. Je mets ça où ?

– Ici.

– Ça ne va pas ? demanda Lucinda. Tu me regardes comme si tu voulais me cuisiner ces champignons qu'on ne doit pas manger.

Bettina secoua la tête, incapable de parler. Elle était gorgée de larmes. Un geste, et elles auraient jailli par flots de ses yeux.

– Celui-là aussi je le laisse là ? demanda Lucinda en apportant un deuxième carton.

Bettina garda le silence. Geneviève alla chercher deux billets dans la tirelire collective, c'est-à-dire le moule à kouglof, paya, signa la fiche.

Enid sortit des toilettes.

– On a pensé au nougat glacé ?

– Aide-moi à ranger plutôt ! dit Geneviève.

Bettina se précipita dans l'escalier. Sur le palier, elle rencontra Hortense qui répétait sa pièce. Bettina la poussa, sans plus d'égards que si elle eût été une porte.

HORTENSE : *Il faudra qu'on me dise mille fois « je vous aime » avant que je le croie et que je m'en soucie…*

BETTINA : Tu peux la boucler cinq minutes s'il te plaît ?

HORTENSE : *Quoi ! Vous êtes là, madame ?*

BETTINA : Tu la fermes, oui ?!

Hortense trouvait l'acoustique du palier plus flatteuse. Mais Bettina avait la mine ravagée et un air qui fichait la trouille ; elle réintégra presto sa chambre.

Bettina se réfugia dans la sienne. Elle mit la radio à fond. Les piaulements de Cindi Sauerkrout et de ses Cream Monsters emplirent la pièce comme dix mille chats affamés. Charlie ne fut pas longue à venir tambouriner à la porte. Puis ce fut Hortense qui hurla quelque chose où on distingua juste : « ... tranquille, merde ! »

Bettina se mit à danser telle une possédée, agitant ses cheveux avec violence, en tous sens, comme si elle voulait s'arracher la tête. Dans la glace, la masse de ses cheveux faisait des tourniquets comme une longue serpillière rousse.

Quand Cindi et ses Cream Monsters se turent, Bettina éteignit la radio. Elle s'assit, en nage, hors d'haleine, au bord du lit, les bras pendants.

Pourquoi Merlin n'était-il pas venu ?

*
* *

L'air devint bleu comme du cristal, aussi coupant. Un vent envoyé d'Anatolie couvrit de gel toute l'Europe de l'Ouest et doubla le labeur de Mme Chaudière.

Basile passa deux matinées à lui examiner les entrailles dans les yeux, à les démonter, les nettoyer, les remonter. Mme Chaudière parut satisfaite et prête à quelque effort. La Vill'Hervé baignait dans une tiédeur bienheureuse quand Hortense annonça un soir :

— Dans huit jours, la couturière.

— Tu te fais faire des vêtements ?

— Pas question ! s'écria énergiquement Charlie. Ça coûte la peau des genoux ! Ou bien ce sera purée matin midi et soir pendant trois ans, y compris Noël, Pâques, Thanksgiving et Krishna Day !

— Au théâtre on appelle couturière la première représentation publique. La plupart du temps devant les copains.

— Ouaaaah ! fit Geneviève en serrant Hortense dans ses bras.

Hortense s'écarta avec un rien d'agacement.

— Lermontov nous a distribué les cartons. Dites-moi qui vous voulez inviter et je…

— T'as le trac ? voulut savoir Enid.

Cette seule question déclenchait de violentes nausées chez Hortense. Les sauterelles avaient désormais table ouverte dans son estomac, son foie, sa rate et sa cage thoracique. Elles y faisaient du trampoline, même la nuit. Elle devait absolument les ignorer sous peine de virer Lot-et-Jura…

— Elle aura lieu le 21, dit-elle. Premier jour des vacances de Noël.

Hortense sentit le regard étonné et curieux de ses quatre sœurs sur elle. Avec la date qui se précisait, le «théâtre d'Hortense» prenait un sérieux coup de sérieux.

— On invite qui on veut ? demanda Bettina.

— Si tu viens avec tes poufs pour ricaner et te moquer de moi…

— Quelle date tu disais ?

Hortense répéta. Bettina arbora alors une mine quasi éolienne... Elle prit des invitations dans le paquet qu'Hortense leur tendait et les compta.

— Donne-m'en plus s'il te plaît.

— Toi, Béhotéguy, Denise, ça fait trois.

— Il m'en faut encore. Pour leurs parents.

— Et qui d'autre ?

Enid, qui était en train de lancer des petits pois extra-fins à Roberto, s'écria :

— Merlin, j'en suis sûre.

Bettina la foudroya d'un œil d'encre.

— Absolument pas, sale naine.

Enid leva le poing et visa Bettina, qui esquiva et en profita pour prendre Hortense de vitesse et empocher quelques invitations supplémentaires. Elle disparut dans l'escalier.

Elle s'enferma dans sa chambre, s'assit à son bureau. Elle glissa une invitation dans une enveloppe bleue, la cacheta et écrivit, en prenant garde que son écriture ne trahisse le tremblement de sa main : *Merlin, aux bons soins de Nanouk Surgelés, 18, boulevard de...*

*
* *

À l'aube toute grise, Hortense se réveilla sans ouvrir les yeux. Les sauterelles. Elles seraient là jusqu'au 21.

Elle allongea précautionneusement le bout d'un pied vers le bord du drap, étira l'orteil hors de la couette. L'orteil se dressa, tâta l'atmosphère à la façon d'un petit tentacule pâle et dodu... et retourna vite sous le duvet tiède.

Gla gla, pensa Hortense les yeux toujours clos. Cette conne de...

De Mme Chaudière, qui d'autre ? Charlie allait devoir sérieusement s'en occuper, ou bien on passerait l'hiver à s'amputer les doigts de pied. Hortense s'extirpa du lit sans sortir de sa couette. C'est-à-dire qu'elle la serra fort autour d'elle et descendit avec les chats derrière elle. De dos elle ressemblait à une espèce de grosse tortue molle.

Pendant que l'eau chauffait, elle alla voir du côté de Mme Chaudière. Froide. Évanouie. Morte.

Hortense s'emmitoufla un peu plus dans sa couette portative et se réfugia sur le banc de la cuisine, le plus près possible de la gazinière. Quand l'eau fut prête, elle en versa sur un sachet de chocolat soluble ; elle laissa le reste continuer à bouillir, pour la vapeur. Elle but une gorgée. Les sauterelles se calmèrent une seconde. Elle prit *Le Petit-Maître corrigé* sur le buffet et commença à répéter.

13

Un pitbull en anorak

De la même manière qu'elle avait guetté la livraison de surgelés, Bettina guetta la téléphone, le facteur et les moteurs. À la moindre sonnette ou sonnerie, au moindre vrombissement, elle jaillissait de nulle part et courait ouvrir. Ou se jetait sur le téléphone. Parfois décrochait quand il fallait ouvrir, et inversement.

Un soir vers neuf heures, il y eut un moteur de mobylette. Bettina se propulsa littéralement sur le perron. En jupe de laine potiron, collants rayés rouge et orange, gros chandail brun et foulard vert pelouse.

C'était le facteur. À cette heure tardive, il ne distribuait pas de courrier, il proposait ses calendriers de fin d'année. Il parut charmé de l'apparition polychrome de Bettina.

— Aussi attrayante qu'un sapin de Noël ! dit-il.

Charlie lui acheta un calendrier, laissant à Enid le choix de la photo (Enid hésita longtemps entre la vue des Alpes qui lui rappelait le dernier hiver au ski avec leurs parents, les bébés épagneuls dans leur panier et les dauphins dans leur bassin). Le facteur fut très patient.

Bettina, déçue, les avait quittés.

Le soir du lendemain, la sonnette d'entrée retentit à huit heures et demie. Bettina se rua. En pantalon jaune écossais, gilet mauve, bottes bleues et chapeau-cloche framboise.

La femme qui se tenait sur le seuil était petite, menue, avec un serre-tête en velours, un anorak noir. Très jolie. Mais ce n'était pas Merlin. Bettina soupira.

— Bonjour. Cécilia Zerbinski. Muguette vous a probablement parlé de moi, je suis son infirmière.

Hortense arriva derrière Bettina et coula un regard par-dessus son épaule. Zerbinski! Elle avait donc un prénom. Et même un beau prénom. L'infirmière reconnut Hortense.

— Désolée de vous déranger, dit-elle. Un fusible vient de sauter. Notre premier étage est plongé dans l'obscurité. 6 ampères, 230 volts, vous auriez ça?

On la fit entrer. Elle était un peu plus âgée que Charlie. Geneviève voulut la débarrasser de son anorak. Cécilia Zerbinski déclina et se contenta d'ouvrir sa fermeture Éclair.

— Je ne reste pas, Muguette est seule dans le noir. Je ne veux qu'un fusible. 6 ampères, 230 volts.

— Dommage que Basile ne soit pas là, dit Enid.

— Qui a besoin de lui? dit Geneviève. Nous savons toutes changer un fusible. Et Basile est surtout calé en courts-circuits.

— Alors nous sommes deux! rit Cécilia Zerbinski.

Hortense prépara une camomille express pendant que Geneviève et Enid allaient fourrager dans le placard à outils.

— Vous ne vous ennuyez pas trop ? demanda Charlie à l'infirmière. C'est isolé par ici.

— J'adorerais que Muguette apprenne que le verbe s'ennuyer existe.

— Vous ne voulez vraiment pas vous asseoir ?

— Merci, non. Je n'ai besoin que d'un fusible 6 ampères, 230 volts.

— En voilà un ! s'écria Enid. Dans son emballage !

— Oh parfait.

Cécilia Zerbinski finit sa tasse, prit le fusible et remonta la fermeture de son anorak.

— Eh bien. Merci beaucoup.

Enid posa une main sur sa manche.

— C'est quoi qu'elle a, Muguette ? C'est grave ?

*
* *

Petit bout du journal d'Hortense

Le silence a écrasé la maison entière.

— Une leucémie, a répondu Zerbinski.

C'était donc grave. Mais Enid, elle, ne savait pas; alors elle a redit:

— C'est grave?

— On en guérit de plus en plus.

Zerbinski a expliqué qu'on saurait au prochain bilan si le traitement avait marché. En attendant, Muguette avait besoin de repos. Voilà pourquoi elles étaient venues dans le pavillon des Brogden.

— Heureusement que vous n'êtes pas toute seule pour vous occuper d'elle! a dit Geneviève. Qu'elle a aussi sa tante Valér...

J'ai coupé :

— Une autre camomille?

— Merci, non, a répété Zerbinski. Je n'avais besoin que d'un fusible...

— ... 6 ampères, 230 volts, dis-je. Vous êtes beaucoup plus sympathique que...

Que quoi? Comment finir ma phrase? Que tout ce que Muguette dit sur vous? Je me suis frotté une narine.

— Que... les infirmières en général.

Cécilia tira distraitement une bouloche du bout de pull qui dépassait de sa manche.

— Muguette m'appelle le pitbull. Sans doute parce qu'elle m'aime beaucoup.

J'ai dû rougir, foooff...

— Mais, a-t-elle continué en souriant, elle ne sait pas que, comme je l'adore, je l'appelle Petite Punaise.

14

Noël menu
ou
Menu de Noël

On entra dans la période des cachotteries de Noël. On essaya de ne pas être vu avec des achats, on s'enferma à double tour pour emballer des cadeaux qu'on fourra dans des endroits où ils étaient censés n'être jamais découverts.

Enid trouva ainsi un paquet qui dépassait du réservoir de la chasse d'eau un jour où elle levait le nez pour interpeller le Gnome. Emplie de curiosité (bien que devinant de quoi il s'agissait), elle se percha et attrapa.

C'était le cadeau de Basile pour elle. Elle lutta une minute (courte mais violente) contre l'envie de l'ouvrir. Pour finir elle le repoussa de côté pour ne plus le voir d'en bas et dégager la corniche qui servait de repose-pieds au Gnome. Le même jour Geneviève découvrit sous le buffet deux paquets dorés ; et le lendemain Charlie en trouva deux autres au fond du panier de bûches.

Quand Hortense arriva ce soir-là, elle glissa en vitesse ses achats dans un lieu connu d'elle seule : un trou, grignoté par Mycroft et famille, sous le ventre du gros fauteuil à oreilles.

— On prévoit une dinde ? interrogeait Geneviève dans la pièce voisine.

— Si c'est au prix du kilo de pommes de terre, répondit Charlie.

Hortense les rejoignit. Geneviève faisait les listes du réveillon ; Charlie, l'air torve, signait des t.i.p., envoyait des r.i.b. de la b.n.p.p., paraphait des c.i.l. de l'u.r.s.f. pour la n.r.s.u…

— Si vous voulez bouffer une dinde gratos, dit Hortense, bouffez Bettina.

Après s'être assurée que Bettina n'était pas là.

— Foie gras ? continua Geneviève.

— Trop cher, fit Charlie.

— Pas si on l'achète chez Sidonie.

— J'ai dit non.

— Bûche glacée ?

— On peut la faire.

— Qui ça « on » ?

— Toi.

Geneviève scruta sa sœur aînée droit dans l'œil :

— Pour la langouste, les Saint-Jacques et le homard, on part en radeau poser des casiers en mer ?

— Qui a dit qu'on devait manger homard et Saint-Jacques ? grogna Charlie.

Bettina débarqua. Bottes fuchsia, bonnet et écharpe dorés, paupières prune. Elle lança à Charlie :

— Tu vires pingre comme tata Lucrèce, ou bien on est pauvres ?

— Je vire pingre parce qu'on est pauvres.

— Tant que ça ?

— Pire.

Où Bettina avait-elle pêché l'idée de se confectionner cette ceinture en fausse fourrure ? s'étonna *in petto* Hortense. Geneviève suçota son crayon :

— J'ai une idée géniale de menu-réveillon. Sandwichs à la purée, rôti de laitue, soufflé de carambars.

Charlie abdiqua. Avec parcimonie.

— OK pour la dinde et la bûche. Mais nicht foie gras et nicht homard.

— Wunderbar, dit Geneviève. De toute manière je suis contre le gavage des oies et je refuse d'ébouillanter des êtres vivants sauf ceux qui veulent me faire avaler une bûche de carambars le soir de Noël.

On sonna. Tout le monde remarqua le coup d'œil vif de Bettina à son reflet dans la glace, sa façon de repositionner son bonnet doré, puis de disparaître en criant :

— J'y vais !

— Elle y est déjà, nota Geneviève.

— Elle attend le Père Noël ?

Et ce penchant subit à s'attifer comme un feu de Bengale ! songea Hortense en quittant la pièce pour gravir le Macaroni quatre à quatre. Elle trouvait Bettina pitoyablement Creuse-et-Oise.

En bas, après un dernier coup d'œil à sa silhouette via la porte vitrée qui la séparait du hall, Bettina alla ouvrir.

— Salut.

Elle n'essaya pas de cacher sa déception. Elle en rajouta même un peu. Mais Denise lui sourit, et Béhotéguy agita les doigts.

— Salut. On venait... te dire...

Des yeux, Denise appela Béhotéguy à l'aide.

— Te dire qu'on...

Béhotéguy se tut à son tour. Toutes les deux battaient la semelle sous le vent froid du perron. Bettina les fit entrer.

— Tu as reçu notre e-mail ?

Bettina secoua la tête. Elle n'avait pas allumé l'ordinateur depuis... Oui, tiens, quand ?

Depuis l'anniversaire de Gersende.

— On voulait te dire, reprit Béhotéguy, qu'on était...

Et, devinant que la phrase allait une fois de plus faire naufrage, Denise se mit en apnée pour jeter :

— On vient te dire que les DBB sans le deuxième B, c'est, c'est, c'est hyper-pustule.

— Trop macabre ! renchérit Béhotéguy, qui ajouta : Ce Pépin avait l'air génial. Si, c'est vrai...

Denise lui pinça un morceau de bras. Pas la peine d'en faire trop.

— Merlin, murmura Bettina.

Il fallait parler. Mais comme on ne savait pas de quoi, Bettina pointa au hasard le doigt sur les bottes roses de Béhotéguy :

— Tu les as trouvées dans une pâtisserie ?

Elles hurlèrent de rire. Geneviève passa une tête.

— Vous avez entendu ?

— Quoi ?

– Écoutez.

– J'entends rien.

– Je vous assure.

Il n'y avait aucun bruit. Geneviève affirma que c'était plus évident dans le salon. Elles allèrent donc dans le salon où Charlie faisait des additions sur sa calculette, et où Enid dessinait des girafes sur la buée des fenêtres. On n'entendait toujours rien.

Mais trente secondes plus tard le bruit fut là, soudain audible, précis, clair. D'abord une pétarade, puis un moteur en débrayage.

Enid, à la fenêtre, ouvrit des yeux épouvantés en voyant la Twingo débouler sous le double porche.

– Branle-baaaaas! Aux abris! hurla-t-elle en dégringolant de sa planchette. Tata Lucrèèèèèce!

À la première sommation, tout le monde avait saisi et conclu. À la deuxième, Geneviève et Charlie, Bettina et Hortense (redescendue dare-dare) se regroupèrent en un bond au centre du salon. À la troisième, le canapé se couvrit miraculeusement d'un plaid, la table d'une nappe. Les chaussures en goguette disparurent, les tiroirs furent poussés, les livres accumoncelés dans un angle, sous les yeux ébaubis de Denise et Béhotéguy.

Elles reprirent haleine, leurs yeux fouillant les recoins comme des phares, en quête d'oubli rédhibitoire. Charlie écrasa la cigarette qu'elle fumait.

– Merde, ça va puer.

– Merde, les chats…

— Merde, qui a prononcé le nom de tante Lucrèce ? grogna Hortense en fixant Bettina. Celle-là est une sorcière.

— Oh, ça va.

Dans le même laps de temps cependant, tante Lucrèce et Delmer, son swamp-terrier, avaient le pied et la patte hors de la Twingo.

— D'habitude elle prévient.

— Bettina, ce strass sur ta narine…

— Geneviève, attache tes cheveux.

Dehors, tante Lucrèce beugla :

— Est-ce que quelqu'une aura l'idée de venir m'aider ?

Charlie croqua un tic-tac menthe et courut au secours de sa tante, pendant que ses sœurs expédiaient dans la cheminée mégots oubliés et moutons en poil de chat.

— Mes chéries ! clama tante Lucrèce dans le hall. Vous avez bien failli ne pas me voir !

— …

— J'ai commencé mes emplettes de Noël. Les petits achats uniquement. J'aurais préféré faire ça en novembre, c'est moins cher mais…

Tante Lucrèce apparut dans le salon, flanquée à sa droite d'une chose verte qui sentait délicieusement, à sa gauche d'un être à la couleur approximative qui puait indéniablement. Un épicéa. Et Delmer le swamp-terrier.

— Regardez ! dit-elle, royale. Un sapin !

L'épicéa était monté en graine, un peu filoche, voire filochard, mais pas antipathique. Charlie avait vu ses jumeaux chez Hyper Promo. Bettina songea qu'il serait l'alibi de tante Lucrèce pour ne pas leur remettre dès aujourd'hui le chèque du mois (pas tout le même jour!) et pour s'inviter à leur réveillon.

Le nez de tante Lucrèce sonda l'espace du salon, sitôt imité par Delmer:

— Quelque chose a grillé ici?

(Oui, une cigarette.)

Charlie s'étrangla. Mais Bettina, avec une grâce d'héroïne romantique, s'exclama:

— Ô Dieu, le grille-pain!

Et elle fonça à la cuisine. Les sinus de tante Lucrèce ne supportaient ni cigarette, ni pipe, ni poils. Pas même sur un écran de cinéma.

— Tu bois quelque chose, ma tante?

— Merci, non. Et puis oui. J'ai arpenté les magasins tout l'après-midi, j'ai les pieds en coulis, avez-vous des pantoufles?

Ce qui voulait dire qu'elle restait la soirée. Hortense alla rejoindre Bettina qui baguenaudait en cuisine.

— Tu grilles vraiment du pain? s'étonna-t-elle.

— Ben tiens. Faut authentifier nos mensonges.

Hortense s'empara d'une carafe, y aperçut les traces de doigts d'Enid, chercha un chiffon sous l'évier. Là, quatre yeux dorés la fixaient avec circonspection.

— Restez planqués, vous deux, chuchota-t-elle à Ingrid et Roberto. Ou la tata ne fera qu'une bouchée de vous.

Plus loin, sur le côté du frigo, elle découvrit une autre paire d'yeux. Rouges, ceux-là. Et qui expliquaient trop bien la présence des chats.

— Oh non. Mycroft, s'il te plaît, montre-toi gentleman.

Elle revint au salon avec Bettina et une carafe d'orgeat, et boucla soigneusement la cuisine derrière elle. Tante Lucrèce expliquait que, cette année, elle avait prévu de faire ses gros achats de Noël…

— … avec vous cinq, mes chéries ! Dites-moi que c'est une bonne idée.

— Merveilleuse, s'écria Bettina en une discrète (mais parfaite) imitation de sa tante, qui ne s'aperçut de rien.

— Comme ça vous choisirez vous-même vos cadeaux. Dans la mesure du raisonnable naturellement.

— Naturellement.

Les cinq sœurs se demandaient quelle différence faisait tante Lucrèce entre ses « petits » et ses « gros » cadeaux. Elles avaient l'impression de ne connaître que les premiers.

— Regardez. J'ai trouvé un disque en promotion… Vous avez de quoi l'écouter ?

C'est bien ce qu'elles craignaient. Le même crooner, celui dont leur tante collectionnait les multiples versions de chansons. Il avait un nom à coucher dans un peuplier, et seule Hortense, qui avait vécu trois semaines chez tante Lucrèce, pouvait le prononcer.

— Euh, on doit partir, annonça Denise.

— Le bus passe bientôt, appuya Béhotéguy.

— Lâcheuses, souffla Bettina en les raccompagnant à la porte.

Elles lui firent la bise, puis au revoir avec leurs gants. Finalement, pensa Bettina, l'arrivée de tante Lucrèce leur avait évité d'évoquer Merlin. Pour une fois, merci tata. Parler de lui, elle n'en avait pas du tout envie.

*
* *

Le reste de la soirée fut consacré à la décoration du sapin et du salon. À vingt et une heures, Basile arriva et s'y mit aussi. On appela Muguette en renfort. Surprise, Zerbinski l'accompagnait.

— Dînons tous ensemble, proposa Charlie. Muguette, tu peux appeler ta tante Valéria…

Muguette fit tomber un lutin en terre cuite du sapin, et tout le monde s'affaira à trouver la meilleure façon de lui recoller la silhouette, on oublia (un peu volontairement) tante Valériana.

À un moment, Charlie retrouva Basile, seul en cuisine, découpant des bananes destinées à être flambées. Il l'embrassa. Elle aussi.

— Tu tiens le coup ? chuchota-t-elle. Tante Lucrèce te couve littéralement des yeux. Tu devrais demander sa main.

— Je suis bien trop dépensier pour elle.

— Elle économise pour deux. Pour quatre. Non, huit, au diable l'avarice.

— La bigamie est punie par la loi.

— Tu es donc déjà marié ? À qui ? Avoue !

— À la fille la plus miroboldigieustouflante du monde.

Il se pencha. Charlie frotta son nez à son menton. Ils ignoraient que leurs gestes étaient scrupuleusement suivis par deux yeux rouges et quatre dorés.

— Je suis miroboldigieustouflante, c'est vrai ? murmura Charlie.

— Ai-je dit que c'était toi ? Quand ? Où ? Comment ?

— Avec tes yeux. Tes beaux yeux marron aux jolies petites taches, euh… marron, non ?

Enid entra. Charlie collecta aussitôt les peaux de banane pour les flanquer à la poubelle, Basile se mit à touiller le sirop. Enid les toisa, soupçonneuse :

— Tante Lucrèce demande où en est le flambage des bananes. On lui dit qu'elles sont en train de cramer grave ?

Basile regarda la poêle qui fumait. Il poussa un juron et se précipita.

Deux heures plus tard, tante Lucrèce repartait avec non seulement l'invitation au réveillon escomptée, mais une autre pour la couturière du *Petit-Maître*, et l'assurance d'être accompagnée par ses nièces à ses achats de Noël.

Comme après chacune de ses apparitions, on se sentait lessivé. Soulagé. Et insondablement triste. Parce que, avec tante Lucrèce (elle n'y pouvait rien, la pauvre), la mort de leurs parents redevenait une douleur palpable, révoltante comme un cadavre de chien qui ressort à la surface d'un lac.

15

Tout le monde sont là… sauf un

La neige tomba sérieusement dès le lendemain, début des vacances scolaires, mais personne ne pouvait deviner (pas même un sincère météorologue, si cette espèce existe) qu'elle tomberait jusqu'au 31 décembre.

Le soir de la couturière, tout le monde portait fourrure, doudoune, duffle-coat, anorak… Le hall du théâtre des Burgraves ressemblait au catalogue automne-hiver de La Redoute. Charlie trouva Cécilia Zerbinski très chic dans sa veste chinoise en satin matelassé et son pantalon de soie. Elle baissa les yeux sur sa vieille canadienne luisante aux arrondis, noircie aux plis. Elle regarda Basile, l'air de s'excuser, mais il épluchait le programme et eût été bien surpris par les pensées de sa belle. Elle s'appuya sur son épaule en silence.

– Il faudra bientôt entrer pour garder une brochette de places, dit-il, ou on se retrouvera dispersés dans toute la salle. Ah, Geneviève ! Avec Enid et Gulliver ! Hou ! Hou !

Il agita les bras.

En contrebas des marches, Bettina avait trouvé refuge près d'un pilier en simili-marbre. Elle cherchait un visage précis dans la foule et n'avait pas envie que ça se remarque. Elle portait la veste bordeaux de sa mère, une jupe courte sur d'épais collants à kangourous roses, de gros boots couleur banane. Elle avait changé plusieurs fois de tenue aujourd'hui. Hortense lui avait glissé perfidement que les serpents eux-mêmes ne muaient pas six fois par jour.

Une semaine qu'elle avait envoyé l'invitation à Merlin. Il l'avait forcément reçue. Il n'avait pas téléphoné. Peut-être qu'il s'en fichait. Peut-être pour lui faire la surprise. Sans savoir que c'était une torture. Elle se promit que, s'il débarquait là, maintenant, elle ferait semblant de ne pas le voir et embrasserait un inconnu sur la bouche !

Non.

Et puis si.

Oh non.

— Tu te caches ? dit Enid en surgissant. On entre. T'as du noir, là.

— Du noir ? Où ?... Oh, allez-y sans moi. Je... vous rejoins.

Du noir sur la figure. Calamité. Elle n'osa pas frotter. Elle quitta la foule sous les flocons, espérant cette fois que Merlin n'arriverait pas. Pas avec du noir sur ma bobine. Elle aperçut Denise accompagnée de sa mère. Elle déguerpit vers un petit couloir en velours rouge ; après un virage elle erra six bonnes minutes avant de tomber sur une porte en moleskine avec « W-C » inscrit dessus.

C'était un petit coin au sens strict : un angle fermé par un battant verni, avec un minuscule lave-mains surmonté d'une glace en cuivre où elle s'examina. Elle frotta la tache avec un coin de kleenex. La paupière fut rose vif. Bettina tapota avec de l'eau froide. Glacée même. Ce fut pire. Son mascara bavait. Se maquiller était décidément un piège à rallonge…

Elle réfléchissait aux moyens de s'en tirer, lorsqu'elle entendit un chuintement. Bettina fixa le battant, elle alla tourner la poignée. Le verrou était fermé. Le bruit reprit après quelques instants. On aurait dit une plainte retenue.

— Ça ne va pas ? dit-elle. Vous êtes malade ?

Pas de réponse. La personne était-elle évanouie ?

— Je vais prévenir quelqu'un, cria-t-elle. Je reviens !

Le verrou cliqueta. La porte s'entrouvrit. Bettina ne put s'empêcher d'avoir un pincement de peur. Ça ressemblait à la scène où, à Red Goose, Connecticut, Charpie-la-poupée-qui-tue sort de la cuisine avec un couteau long comme une tringle à rideaux.

Ce qui apparut avait plutôt l'aspect d'un petit paquet de chiffons mouillés. Bettina poussa une exclamation.

— Mais !… Tu n'es pas dans ta loge à te préparer ?!

À la stupeur et au grand embarras de sa sœur, Hortense s'affaissa sur le sol où elle se mit à sangloter, en tas.

— Hortense ! murmura Bettina.

Elle s'agenouilla, lui toucha l'épaule, répéta « Hortense ? » en lui tendant son kleenex.

— Laisse-moi ! Je ne jouerai pas !

Le trac. Poison des grands comédiens. Bettina se sentit désemparée. Il fallait que quelqu'un raisonne Hortense, lui parle, la rassure. Pour sa part, elle ne se sentait pas du tout de taille. En outre, elle devait repartir, Merlin serait peut-être... La porte s'ouvrit sur Enid et Muguette.

— Bettina, on t'attend ! commença Enid. Qu'est-ce que tu...

— Qu'est-ce que tu fous là, toi ? cria Muguette à Hortense qui reniflait toujours sur le carrelage. Tu joues Guignol ?

Puisqu'il y avait une relève, Bettina décida de disparaître. Sur le seuil elle fut bousculée par une fille en robe Watteau et mouche sur la pommette.

— Tu es là ! On te cherche partout ! cria la fille à Hortense.

Bettina promit à sa joue une mouche identique pour Noël et s'éclipsa.

— J'irai pas, Dédée ! J'irai pas ! sanglota Hortense.

— Dis ça à Lermontov. Il aboie tous azimuts.

— Je ne jouerai pas !

Dédée s'accroupit entre Enid et Muguette.

— Ça fait longtemps qu'elle est dans cet état ?

— Sais pas, dit Muguette.

— Elle pique sa crise, dit Enid.

— Mer-de !!! hurla Dédée.

— Tout à fait d'accord, dit Muguette.

— Si on ouvrait le robinet sur sa tête ?

— C'est un vieux supplice chinois.

— Ils avaient des robinets à l'époque en Chine ?

— Hortense ! Arrête !

— Oui, s'il te plaît, arrête.

Dédée déroula vingt mètres de papier-toilette pour moucher Hortense. Muguette fut prise d'une illumination.

— Pense à ma pauvre tante Valériana qui n'a pas pu venir te voir ce soir. Pense à la dernière fois que... tu l'as vue. Elle était si fière quand... tu lui as joué ton rôle. Tu te rappelles ?

Hortense releva la tête et montra ce qui ressemblait pour l'heure à un petit radis bouilli et qui était son nez. Contre toute attente, elle sourit.

Enid haussa un sourcil. Dédée regarda Muguette comme un miracle.

— Pour-quoi... Pour-quoi, fit Hortense dans une suite de gros hoquets, pour-quoi elle n'est pas là, tante Valériana ?

— Elle a la rate qui se dilate, fut la réponse, lugubre, de Muguette.

Une explosion de rire jaillit d'Hortense. Passé la surprise, les autres rirent aussi, même si la plaisanterie restait parfaitement fumeuse pour Enid et Dédée.

D'un bond, Hortense se précipita à la cuvette. En l'entendant vomir, les autres eurent un soupir soulagé.

Elle reparut quarante-deux secondes plus tard.

— Ça va... moins mal.

— Ouste ! Au maquillage ! brama Dédée en la poussant dehors.

Elle sourit à Enid et Muguette.

— On va bosser dur pour faire une héroïne XVIIIe de cet épouvantail qui a pris la pluie !

Enid et Muguette retrouvèrent les autres dans la salle qui s'était remplie. Elles s'assirent aux places qu'on leur avait gardées. Celle de Bettina demeurait vide.

— Qu'est-ce qu'elle fout ? marmotta Charlie.

— Il rrreste du temps, dit Mme Comencini. Au théâtrrre, ils ne commencent jamais à l'heurrrre.

Par courtoisie pour les spectateurs derrière, Mme Comencini ne portait pas un de ses célèbres turbans, mais tout le monde était fasciné par sa robe bleue imprimée d'amples roses jaunes.

— Je vais voir, déclara Denise.

— Elle va prrrobablement arrrriver.

Bettina avait retrouvé son pilier en faux marbre d'où elle pouvait voir sans être vue. Tout était blanc dehors. De plus en plus blanc car il y avait de moins en moins de monde. Quelques retardataires.

Il pouvait encore arriver. S'il travaillait tard par exemple.

Les minutes passaient. Il neigeait.

Il neigeait. Les minutes passaient.

À la fine sonnerie qui annonce la fermeture des portes, le hall se vida.

— Ça va commencer, mademoiselle, dit une ouvreuse. Vous attendez quelqu'un ?

— Non, fit-elle en se sentant rougir.

Elle finit par rejoindre son fauteuil, à côté de Mme Comencini.

— À cette heure-ci que t'arrives ? grogna Charlie.

— J'étais aux toilettes, se rebiffa-t-elle, c'est interdit ?

Elle entendit Enid pouffer avec Gulliver. Bettina se retint de bondir par-dessus la rangée de genoux pour leur griffer méthodiquement les joues. Trop tard de toute façon, les lumières baissaient.

En une minute, le monde pour Bettina avait pris l'aspect ravagé d'un paysage après douze cyclones. De sorte qu'il s'écoula un bout de temps avant qu'elle reconnaisse en la sublime demoiselle à bouclettes, et aux lèvres de laquelle le public semblait accroché, cette curieuse bête d'Hortense. Sa petite sœur.

*
* *

Lorsqu'elle en prend conscience, Bettina tourne la tête et regarde ses trois sœurs. Comme si elle avait du mal à y croire. Elle aperçoit des larmes dans les yeux de Geneviève.

Alors, elle se met à écouter. Elle écoute Hortense, et la regarde, pour la première fois depuis bien longtemps.

L'héroïne sur la scène se prénomme aussi Hortense. L'histoire raconte comment une jeune provinciale pousse son amoureux Rosimond, un petit-maître de Paris, charmant mais poseur, à lui dire : « Je vous aime. » Mots qu'il ne peut jamais prononcer, persuadé qu'il sera ridicule. Bien sûr, il finit par comprendre que le vrai ridicule c'est de se taire.

Les larmes sortent de Bettina. Elle se dit oh mon

Dieu qu'est-ce qui m'arrive, pas maintenant ! pas ici ! avec tout ce monde ! Ses larmes redoublent. Quelle prétentieuse, quelle arrogante, je suis un petit-maître moi aussi, s'il n'est pas venu, tu n'as que ce que tu mérites.

Rosimond sur scène étreint Hortense avec passion et l'embrasse. Ça fait bizarre de voir leur Hortense, drôle d'animal, enlacée et embrassée par un garçon.

— ... *cet amour je ne vous l'ai caché que par le plus incroyable orgueil...*

Bettina pleure en silence.

La main de Mme Comencini lui presse doucement le bras. Elle a dû l'entendre renifler et veut la réconforter.

Pourquoi Merlin n'est-il pas venu ?

*
* *

Les vingt-quatre heures qui suivirent la représentation, Hortense eut l'impression grisante que l'œil de l'univers sur sa personne avait changé. Le téléphone n'arrêtait pas de sonner. Dédée voulait lui parler. Ou Théodore. Ou Jules. Ou Ovide. Ou...

Charlie prenait une voix posée pour s'adresser à elle. Basile pareil. Comme si elle avait grandi de trois décennies. Geneviève la couvait d'attentions, de confiseries, d'affection. Bettina la lorgnait avec une expression inédite. Et Muguette était aussi heureuse que si elle-même avait joué.

Mme Latour-Destours, sa prof de français, qui avait assisté à la représentation, l'aborda le surlendemain chez M. Chantemerle, épicier de la ville, où Hortense achetait des échalotes, du Canard WC et du maïs en boîte. Leur dialogue fut, selon l'habitude, très comtesse de Ségur :

MME LATOUR-DESTOURS (*Gentiment*)
Je n'ai guère eu le temps de vous dire bravo, Verdelaine, vous étiez très entourée, mais le cœur y était.

HORTENSE (*Modeste*)
Merci, madame.

MME LATOUR-DESTOURS (*De même*)
Peut-être serez-vous une nouvelle Deborah Kerr, après tout. Vous vous sentez de taille pour un oral désormais ?

HORTENSE
Je, je n'en suis pas sûre... Je vous porte votre sac ?

MME LATOUR-DESTOURS (*Riant*)
Je n'habite pas loin ; merci tout de même.

HORTENSE (*Embarrassée*)
C'est moi... moi qui vous remercie. Pour m'avoir fait connaître M. Lermontov.

MME LATOUR-DESTOURS
C'est un ami. Mon père et lui jouent ensemble à la pétanque. Ses cours vous réussissent, on dirait.

Avant, vous n'auriez jamais osé me demander de porter mon sac. Joyeux Noël, Hortense.

HORTENSE
Bonnes fêtes, madame.

Mme Latour-Destours s'éloigna dans un frou-frou de dentelles. Hortense haussa un sourcil. Lermontov? Joueur de pétanque?

Et c'était qui, cette Deborah Kerr, flûte?

Le lendemain, la vie d'Hortense redevenait normale. Charlie beugla qu'elle lui avait piqué un pull sans permission, Bettina ricana quand elle prit son cahier intime sous le bras, Geneviève réclama son aide pour secouer la nappe, Basile la poussa sans douceur pour se faire une place acceptable sur le canapé, Ingrid et Roberto firent de la varappe sur sa nuque. Bref, on la traita comme l'Hortense habituelle.

Sauf qu'elle savait qu'une part d'elle-même était morte le soir de la représentation. Elle pouvait situer l'instant exact: quand Virgile Viel, dix-sept ans, qui interprétait son amoureux, l'avait empoignée par les poignets, et tirée à lui pour l'embrasser.

Se débattre? Elle était bien trop son personnage pour y penser. Et, s'il fut inattendu, le baiser n'était pas désagréable.

Plutôt agréable en fait. Les lèvres de Virgile avaient la texture du coin de coussin qu'elle mordillait en regardant la télé. Mais c'était drôle, perturbant même, qu'un baiser de théâtre eût été son premier baiser

Voilà ce qu'elle ressassait en tenant *Ma sœur est une sorcière* sans réussir à lire, et quand le téléphone sonna.

Elle se leva avec la secrète satisfaction de ne voir personne se déranger… puisque, depuis la veille, il ne sonnait que pour elle. Elle décrocha.

— Salut, dit Virgile.

— Salut.

— Je voulais te dire. Ma mère t'a trouvée hyper-géniale. Que tu jouais avec beaucoup de maturité…

— Merci. Toi aussi t'étais super, elle te l'a dit ?

— Moyen. Elle me fera des compliments quand j'aurai escaladé la tour Eiffel sur les oreilles. Oh, euh, j'appelle aussi… pour m'excuser.

— …

— Quand je t'ai embrassée, tu sais ? L'idée n'était pas de moi… C'est…

— …

— Lermontov. Il voulait que tu ne sois pas au courant… Pour que tu aies une expression particulière.

— Oh.

Elle avala l'information en silence. Puis :

— Il l'a eue, j'espère… L'expression.

— Il arrête pas de dire plein de trucs sympas sur toi.

— C'est la moindre des choses.

Un vaste rire lui chatouilla la poitrine. Elle essaya de se maîtriser.

— Salut, dit-elle. Et merci à ta mère.

Elle raccrocha et alla s'écrouler comme une masse dans le canapé pour rigoler tout son soûl. Le téléphone sonna à nouveau. Elle alla décrocher.

À l'autre bout du salon, devant un petit banc vert qui supportait tout un attirail de manucure, Bettina vernissait ses orteils. Un bigoudi de Geneviève calé entre chaque, elle étalait une couleur différente par ongle. Églantine, carmin, pêche, réséda, pétunia.

— Pour toi ! lui cria Hortense.

Elle se rassit et considéra Bettina par-dessus *Ma sœur est une sorcière*.

Bettina eut l'air surprise et débordée. Par ses pieds, ses ongles, ses bigoudis, ses flacons... Elle se propulsa à cloche-pied pour saisir le téléphone, retourna *idem* jusqu'au petit banc vert. L'écouteur bloqué entre oreille et clavicule, elle leva un pied puis l'autre, agitant les orteils pour sécher plus vite...

— Bettina ?

Elle lâcha le flacon pétunia, qui eut l'élégance de choir sur un paquet de kleenex, mais la sottise de renverser églantine qui boscula réséda.

— Bettina...

C'était Merlin.

16

Tante Valériana versus Tante Lucrèce

— Bettina ? répéta Merlin.

— Ou… i, euh, tu ne quittes pas ?

Oubliant ses doigts de pied, elle déserta le salon pour s'isoler sous la courbe du Macaroni.

— Voilà.

Elle attendit qu'il parle le premier.

— Ça va ?

Que crois-tu, pauvre bille ? Que j'attends comme une plante que tu veuilles m'appeler ?

— Ça va, dit-elle.

Oui ! J'attends comme une plante !

Oui, je suis lamentablement heureuse que tu appelles enfin !

— Je te remercie pour l'invitation au théâtre.

Pourquoi n'es-tu pas venu, crétin ? Pourquoi ne m'as-tu pas téléphoné ? Elle hurlait sans qu'aucun son ne sorte de sa bouche. *Tu sais ce que j'en fais de tes mercis ?*

Elle attendit.

— En fait, je l'ai reçue seulement ce matin, en arrivant au travail. J'étais parti avec mes parents, on est revenus hier soir.

Bettina tirailla une petite peau au coin de sa lèvre. Il ne savait pas ! Il ne savait rien ! Il l'avait lue seulement ce matin !

— Tu… étais absent ? demanda-t-elle.

— Je t'entends mal.

— Tu étais en vacances ?

— Pas exactement. Nanouk Surgelés a muté mes parents au magasin de Villeneuve. Ils ont passé la semaine à s'occuper d'inventaire, de devis, de comptabilité, tout ça…

Elle s'arracha une dernière peau. Elle aurait voulu lui raconter comme elle l'avait attendu près du pilier en faux marbre.

— Bettina…

Le cœur de Bettina se cogna la tête dans sa cage.

— J'aimerais qu'on se parle.

— Bien sûr.

— Je t'entends vraiment mal.

— Où ça ?

— Une fête foraine s'est installée ce matin sur le boulevard de la Mer. Mercredi midi ? Devant la grande roue ?

Elle dit : « D'accord. » Un silence flotta. Puis Merlin lui dit : « Au revoir. » Elle répondit : « Au revoir. »

Voilà.

*
* *

Bettina j'aimerais qu'on se parle. Boulevard de la Mer devant la grande roue…

Une fête foraine. On ne pouvait s'y dire que des choses... des choses délicieuses, n'est-ce pas? Bettina retourna au salon avec un sourire de sirène. Elle rangea ses vernis, ses limes, ses bigoudis... Hortense l'épia derrière *Ma sœur est une sorcière* comme si Bettina en était devenue une.

— Tu me permets une question?

— Mmmm? fit Bettina sans écouter.

Boulevard de la Mer, mercredi, grande roue, j'aimerais qu'on se parle...

— Hé! Ho! Je te cause!

Bettina fixa sa cadette avec l'expression d'un chauve à qui l'on vient d'arracher sa perruque.

— C'est exprès, lui susurra Hortense, que tu as verni un seul pied?

*
* *

— Seigneur! souffla tante Lucrèce en pinçant Geneviève. Nous allons devoir nous promener avec cette... créature?

— La tante Valériana tient beaucoup à faire ses achats de Noël en notre compagnie.

Au rayon des sourires, tante Lucrèce n'avait pas grand-chose en boutique et, devant l'hurluberlu qui s'avançait, sa quête fut particulièrement laborieuse.

— Og! éternua tante Valériana en déployant un mouchoir aussi spacieux qu'une liquette de walkyrie. Pardon... les podéchappements, mezallergies, og, cétinfernal!...

Elle éternua sept fois avant d'être prise en charge par une Muguette aux mimiques fatalistes.

Toutes venaient de se retrouver en ville autour du sapin géant de l'Esplanade. Bettina arriva avec Enid en bus. Charlie avait obtenu son après-midi d'Hubuc Lab. Geneviève débarquait de sa boxe (elle avait pris une douche et cachait ses cheveux humides sous un bonnet emprunté à M. Qol Moi qui lui tombait sur les yeux).

— Et Hortense ? interrogea tante Lucrèce.

— Réunion avec son prof de théâtre, dit Bettina. Elle nous rejoint à quatre heures devant les Galeries Réunies.

Tante Valériana éternua. Elle portait une grosse doudoune de ski bleue qui s'accordait avec sa jupe fleurie à peu près aussi bien qu'une louche de confiture avec une brandade de poisson. Et toujours ce chapeau en tuyau à fumée.

Elle fixa tante Lucrèce de ses yeux vert pomme et lui offrit son sourire tout en dents.

— Mon achme, voyez… Je devrais habiter la montagne mais vous savez ce que c'est, ma nièce ne veut rien savoir, og, og, c'est une vraie bourrique, hein Muguette, tu es une bourrique ? Elle préfère la mer sans penser à sa tata qui souffre…

Elle sanglota dans sa manche de doudoune, avec des bruits plus répugnants les uns que les autres. Tante Lucrèce eut un recul de dégoût. Muguette leur sourit, l'air absolument navré.

— Ferme-la, tantine, dit-elle. Tu ne vois pas que tu nous fais honte ?

Ce qui augmenta pleurs et hoquets, et pétrifia tout le monde.

— Elle ne devrait pas lui parler comme ça, chuchota Geneviève, peinée.

En ville, la neige se réduisait à du trottoir mouillé. En temps normal c'eût été morne et déprimant ; mais en cette avant-veille de Noël, lumières et guirlandes s'en trouvaient multipliées. Dans la foule pressée des magasins, longs paquets et gros cadeaux ressemblaient à des personnages en marche...

Sur le boulevard couvert de monde, un jeune homme en passe-montagne bleu foncé attendait son destin. Il ignorait que ce destin se nommait tante Lucrèce.

Tante Lucrèce qui, dans une papeterie, râlait contre l'absence d'Hortense :

— Comment savoir si elle préfère le rouge ou le bleu ?

Charlie se garda de lui faire remarquer qu'elle offrait TOUJOURS des stylos à Hortense. Alors la couleur !... Bettina eut envie de lui demander pourquoi elle n'achetait pas les deux puisqu'ils étaient à moins 50 %. Enid songeait c'est ça, ses gros achats ?

Tante Valériana, dans un geste de brute, s'empara soudain des deux stylos et les renifla avec des grognements.

— Joli... Veux-tu les mêmes, og, nièce chérie ? veutu, veutu, Muguette ?

— Ce sont les derniers, informa la vendeuse.

Et le visage de tante Lucrèce fut traversé d'une

lueur inquiète à l'idée que cette… créature lui fasse rater un achat à moitié prix.

— Joli… répétait tante Valériana, humant tour à tour le stylo rouge et le stylo bleu.

Un filet de bave déborda de ses larges dents et tomba comme du sucre liquide sur les stylos. Elle marmonna quelque chose qui n'était même pas une excuse. Elle fouilla dans sa doudoune, tira le mouchoir où elle avait toussé, craché, éternué tout l'après-midi, et – très soigneusement – elle essuya les stylos. En suite de quoi, elle les tendit à tante Lucrèce en souriant.

— Voilà. Ils sont propres.

Tante Lucrèce réprima un hoquet. Même au supplice de la chèvre, elle n'y aurait pas touché.

— Je crois, dit-elle la voix éteinte, que je vais lui choisir autre chose.

Elles sortirent de la boutique. Elles avaient à peine parcouru cinquante mètres qu'un jeune homme en passe-montagne bleu foncé fondit sur tante Lucrèce.

En clair, c'était un voleur et il voulait lui arracher son sac.

Le sac resta où il se trouvait. C'était une carne de trente-deux ans, une peau de buffle qui avait vu bien des Noëls. Un simple vide-gousset ne lui ferait pas lâcher bride ! Laquelle demeura entortillée dans le poing ferme de la tata, soit l'équivalent d'un bloc de ciment.

Mais le choc des contraires renversa la dame. Le tire-laine tira. Le sac ne venait toujours pas. Il leva alors la main pour… on ne sut quoi. Car Geneviève bondit face à lui, dans la position où l'immense Bud Pui Suoy attaqua le non moins immense Lu Quito Almendros le 17 janvier 1997 au Muay Thai World Championship de Saratoga, Alabama, USA, pour le mettre K-O.

Geneviève ne mit pas le voleur K-O. Elle lui porta un low-kick en vrille, suivi d'un blocage circulaire et d'un coup de coude en marteau (au cas où) ; le bras en crochet, elle lui attrapa la jambe et la souleva. M. Qol Moi aurait trouvé un manque d'amplitude à tout ça mais, après tout, elle n'était qu'en deuxième année… Et l'adversaire était par terre !

Les fesses dans la neige, il se tenait le bras et tâtait son nez.

— Police ! cria tante Lucrèce. Je veux la police !

Geneviève se pencha vers le garçon, lui tendit un kleenex propre et plein de sollicitude.

— Filez ! souffla-t-elle. Ouste !

Sur le même ton, Enid renchérit :

— Ouais, foutez le camp !

— Je ne mettrais pas mon pire ennemi entre ces mains-là ! chuchota Bettina en désignant tante Lucrèce au voleur.

Il ne s'éternisa pas sur le trottoir, ni sur le flot de perplexité qui le submergeait. Il bondit sur ses talons et déguerpit sur le boulevard.

— Il s'est carapaté ! s'indigna tante Lucrèce.

— Qu'est-ce qu'un voleur peut faire d'autre ? murmura Charlie.

On s'attroupa autour.

— Laisse tomber, dit Bettina à sa tante.

— Tu as ton sac, dit Enid, c'est le principal.

Bettina scruta Geneviève avec un sourire en coin.

— Il était mignon, murmura-t-elle, c'est pour ça que tu lui as facilité la fuite ?

Elles se retournèrent. Car, derrière, se déroulait une scène proprement stupéfiante.

Pendant la bousculade, tante Valériana aussi était tombée par terre. Elle essayait de se relever, mais doudoune et embonpoint valsaient avec son centre de gravité, malgré le soutien de Muguette.

On vola à son secours. Et tandis que Charlie, Geneviève et Bettina attrapaient la grosse dame par tout ce qu'il était possible de l'attraper, on remarqua une série de choses bizarres :

1° Tante Valériana avait un œil vert pomme, et l'autre noir.

2° Son ventre était devenu une bosse... dans le cou.

3° Tante Valériana avait de jolies chevilles minces et jeunes.

4° Ses longues dents étaient posées en deux rangées sur le bitume.

On comprit tout. On cria :

— Hortense !!!

Et elles hurlèrent de rire au grand dam de tante Lucrèce, qui racontait à un badaud la biographie de la peau de buffle de trente-deux ans dont elle défiait quiconque aurait l'idée de la lui voler.

Elle se retourna juste à temps pour assister, à son total ahurissement, à la fin du strip-tease de tante Valériana en plein milieu du boulevard.

– Seigneur… murmura-t-elle. Jusqu'où ira cette créature ? Mon Dieu… mais c'est Hortense !

17

Tout sur ma tante

Petit bout du journal d'Hortense

Tante Lucrèce voulait absolument déposer plainte au commissariat, ce qui nous a fait perdre du temps. D'autant qu'on a donné dix signalements différents du voleur. Après, on a jeté la tata dans sa Twingo avec ses paquets et la promesse de se revoir demain au réveillon.

Et victoire : Je (enfin, *tante Valériana*) l'ai empêchée de m'acheter sa saleté de stylo !

Pour se reposer (plus de tante Lucrèce que des courses), Charlie nous a proposé un chocolat à l'Ange Heurtebise. Mais Bettina a dit qu'une fête foraine s'était installée pour les vacances de Noël sur le boulevard de la Mer. On y est allées. Et tout en mangeant des gaufres, des crêpes et des chichis devant les baraques, on a eu droit à des questionnaires en règle, Geneviève et moi. Mais Geneviève n'a pas vraiment expliqué.

— Pourquoi tu nous as caché ça ?

— Tu aurais fait gogo-girl, encore !

— Mais de la boxe thaïe !…

— Tu m'apprendras ? a réclamé Enid.

Geneviève a remis son bonnet qui ressemblait à une chaussette avachie. Ses joues étaient rose vif.

— Je n'ai rien dit parce que… ça me plaisait. J'ai trop souvent l'impression qu'on peut lire mes pensées comme si elles défilaient sur mon pull.

Moi, j'ai bien compris. Je passe mon temps à cacher n'importe quoi, même quand j'achète un timbre. Mais ce sera coton pour elle de se trouver un autre secret!

Quand ç'a été mon tour d'être au banc des accusés, l'avocate Muguette a expliqué que «tante Valériana», c'était pour m'exercer à être quelqu'un d'autre, une musculation d'acteur. J'ai conclu:

— Je ne devais pas être mauvaise puisque vous êtes toutes tombées dedans!

— Pourquoi est-ce qu'elle se mouchait et éternuait autant? a demandé Bettina en observant la grande roue en action. Pourquoi ces bruits répugnants?

Muguette m'a donné un grand coup dans les côtes.

— Elle se marrait tellement! Le pire, c'est le jour où elle a «vomi» dans l'évier de la cuisine. J'ai vraiment cru que vous alliez deviner.

Ce soir, quand je l'ai reconduite au pavillon des Brogden, Muguette a dit:

— On ira voir les petits chats la semaine prochaine?

J'ai répondu d'accord au moment où Zerbinski ouvrait. Muguette a chanté en gueulant:

Ho, ho! Quelle journée!
Ho! ho! J'ai trop rigolé!

Zerbinski a dit:

— Tes parents ont appelé. Ils arrivent demain pour passer Noël avec toi.

Muguette a marqué un temps. Puis elle s'est mise à gueuler encore plus fort:

Ho, ho! Quelle journée!
Ho! ho! C'est pas terminé!

J'ai dit:

— Si on passait le réveillon tous ensemble?

*
* *

Bettina aperçut Merlin au bas de la grande roue et courut vers lui dans la neige. La bise de la mer était glacée, mais autour des baraques l'air de midi était un mélange tiède de néons, de sucre, de vapeurs.

Elle lui trouva une mine de corsaire avec son bonnet rayé et son écharpe au vent. Elle renversa la joue, qu'il n'ait plus qu'à se pencher pour l'embrasser, mais il ne se pencha pas. Elle montra la roue.

— On y va?

— Si tu veux.

Il paya les places et ils grimpèrent dans une nacelle rose. Dans la suivante, deux fillettes s'installèrent avec leur très anxieuse mamie.

— Tu as mis ta ceinture? dit Merlin.

Il vérifia et bloqua la sécurité. La cabine se hissa d'un cran, d'un autre, et d'un autre. En contrebas, le boulevard de la Mer ressembla à une manche de chemise lisse sur une table de repassage. Quelques flocons jouaient à papillons.

— Elles te vont bien, ces boucles d'oreilles, dit Merlin.

— Merci. Ton bonnet aussi te va bien.

Il pouffa. D'un air triste. Comme s'il pensait qu'elle disait ça pour rire.

— C'est vrai, insista-t-elle.

Et c'était pire. Elle réalisa de façon nette, déchirante, qu'il ne pouvait pas croire aux choses bien qu'elle pensait de lui.

— Je vais bientôt déménager, dit-il.

— Déménager ?

Le cœur de Bettina s'éleva comme un mini-parachute : la grande roue venait de prendre son élan.

— Déménager ?

— Mes parents vont s'occuper de cette succursale à Villeneuve. Mais…

Il tira sur son bonnet. Bettina eut envie de rire car une de ses oreilles était sortie. Elle ne trouvait plus ça laid, plus du tout, au contraire c'était adorablement touchant, ça donnait envie de saisir le lobe entre le pouce et l'index et d'y déposer un bisou.

— Mais ce n'est pas que pour ça que je voulais te voir.

C'est pour me dire que tu m'aimes, idiot. Déménagement ou pas, on arrivera à se voir. Quarante kilomètres, ce n'est jamais qu'une demi-heure de train.

Le boulevard, la neige et la mer volaient comme un décor autour de la roue. On se serait cru dans un vieux film où les personnages causent devant une toile peinte. Merlin se lança, à toute vitesse :

— Pour commencer, sache que jamais, jamais une fille ne m'a fait autant d'effet que toi, Bettina. Je crois que c'était la première fois que je tombais réellement amoureux. Et ça m'a rendu si malheureux que toi… Tu n'as jamais eu l'air de prendre tout ça au sérieux. Moi je l'étais, Bettina, terriblement sérieux, terriblement amoureux… À un point que tu ne sauras jamais. J'aurais pu… je ne sais pas, faire de la varappe sur cette roue si tu me l'avais demandé. J'aurais pu… avaler un gratin de choux-fleurs, dix gratins si tu l'avais voulu. Je hais le gratin de choux-fleurs. Le jour de l'anniversaire de Gersende, quand tu m'as dit cette… cette phrase horrible, blessante, je me suis demandé comment un être humain pouvait se montrer aussi méchant avec un autre être humain.

— Je… je suis désolée, murmura Bettina.

— Je t'en ai voulu… jusqu'à ces derniers jours. Quand mes parents nous ont annoncé qu'on allait vivre ailleurs, j'ai tout de suite pensé à toi. Je serais loin. Je ne te verrais plus… Et tu sais quoi, Bettina ? Ça ne m'a pas fait de peine. Pas vraiment. À cet anniversaire, il s'est passé quelque chose de magique, je veux dire quand on a dansé. Comme si on avait respiré ensemble. Et puis tout a basculé, tchak, à cent quatre-vingts degrés. Par terre. Après ça je ne pouvais plus te regarder de la même façon.

C'est affreux, c'est horrible, parce que moi aussi je ne pouvais plus te regarder de la même façon. Moi, je te voyais mieux, je t'ai vu magnifique !

La nacelle s'immobilisa au sommet de son cercle. Les vents hurlèrent dans les armatures, et mirent des larmes dans les yeux de Bettina.

— Pardon, Merlin. Je ne suis pas aussi méchante. Je ne le voulais pas en tout cas.

— Bien sûr que si, dit-il avec un sourire très doux. Tu le voulais. Les belles ont le droit d'être méchantes avec les moches.

— Ce n'est pas vrai !

— Mais les moches ont exactement le même droit avec les belles. On peut nommer ça l'équilibre des espèces.

Il se pencha et fit ce qu'elle avait tant voulu, rêvé qu'il fît : il lui donna un baiser.

Sur la joue. Et tout en rangeant son oreille sous le bonnet rayé. Elle faillit rire à nouveau. Comment un geste aussi absurde pouvait-il lui bousculer le cœur à ce point ?

La roue recommença à tourner, la nacelle à descendre.

Sans réfléchir elle embrassa Merlin sur les lèvres. Quand elle s'écarta, il l'observait d'un air bizarre. Il gratta du bout de l'ongle une écaille de peinture sur la barre de soutien.

— Il y a trois semaines, tu m'aurais mis la tête à l'envers, Bettina.

La cabine arriva en bas. Le vendeur de billets vint ouvrir. Merlin sortit. Il se tourna vers Bettina qui demeurait assise.

— Un autre tour, miss ? dit le vendeur avec un clin d'œil à Merlin. La demoiselle a l'air d'aimer. Allez-y !

Mais Merlin secoua la tête.

— Tu restes ? demanda-t-il.

Elle fit oui, recroquevillée sur son siège.

Merlin lui acheta un billet. Il la regarda dans les yeux pendant qu'un monsieur et son fils prenaient place à côté d'elle.

— Au revoir, dit-il.

— Salut, dit Bettina.

Il s'éloigna. Tandis que la roue s'élevait à nouveau dans les flocons, il devint une petite tache sur l'ourlet bien repassé du boulevard. Bettina attendit d'être tout en haut.

Là, sous l'œil éberlué du monsieur et de son fils, elle s'accrocha très fort à la barre et elle hurla.

18

My favorite things

Bettina s'enferma deux heures dans la salle de bains. Elle ne prit ni douche ni bain, ne se maquilla ni ne se démaquilla, ne s'habilla ni ne se déshabilla. Elle resta assise sur le sac de linge sale, le menton sur les mains, à observer les petits insectes argentés qui se tortillaient sur la faïence.

Elle ne pleura pas. Elle avait bien trop de sanglots pour savoir par lequel commencer.

Des pensées, des mots se tortillaient dans son esprit, comme les minuscules invertébrés par terre.

Jamais une fille ne m'avait fait autant d'effet que toi, Bettina… J'aurais pu avaler dix gratins de choux-fleurs, je hais le gratin de choux-fleurs… Tu m'aurais mis la tête l'envers…

Bettina se regarda dans le miroir. Tout ne pouvait pas avoir tellement changé depuis la fête de Gersende ! Pas depuis si peu de temps… Pourtant, si tout avait complètement changé pour elle, pourquoi pas pour lui ?

La vérité, c'est qu'elle l'avait aimé sans s'en apercevoir… C'est possible, ça ? Oh mon Dieu, cette couleur de cheveux ! Pas étonnant qu'il lui ait dit toutes ces choses terribles... Je suis laide, laide, laide comme un pou, ça rappelait une vieille chanson à la tante Lucrèce. Il fallait qu'elle retrouve sa belle couleur naturelle, c'était comme ça qu'elle lui avait plu, c'est comme ça qu'elle le ferait changer d'avis.

Car il devait changer d'avis. Elle n'irait pas le voir tout de suite. Elle lui donnerait le temps de regretter, d'avoir des remords, de penser à elle... Pas trop longtemps tout de même. Un peu. Et puis elle réapparaîtrait. Et il changerait d'avis.

Il changerait d'avis. Forcément !

Elle lui ferait à nouveau de l'effet. Elle lui ferait manger quarante gratins de choux-fleurs. Elle lui mettrait la tête à l'envers.

*
* *

Petit bout du journal d'Hortense

Réveillon à 10/20. Ni bon ni mauvais ; sans maman ni papa, ça ne sera plus jamais aussi bien de toute façon. L'an dernier c'était pire, et l'année où ils sont morts je n'en parle pas, le chaos. Les parents de Muguette ont débarqué en voiture la veille. Ils sont hyper-zen, on se demande comment cette excitée de Muguette peut être leur fille. Ils ont paru ravis que leur fille ne se retrouve pas seule avec une infirmière et eux pour Noël, ils sont arrivés à la Vill'Hervé avec des fruits confits et une bûche. On n'a pas osé leur dire qu'il y en avait déjà une, à l'orange, douze parts, faite par Geneviève (qui d'autre ?).

Basile, lui, a réveillonné chez ses parents, mais il avait promis d'être avec nous le lendemain midi, au déjeuner de

Noël, pour finir les restes. Cadeau de tante Lucrèce: elle a déniché un stylo en promo. Vert... Elle me l'a offert.

Cerise on ze cadeau: comme elle ne sort jamais après 21 heures, elle est restée dormir!!

Franchement, dans le genre Noël en famille, je préférerais avec oncle Florentin − le petit frère barjo de maman − qui vit à Paris avec sa femme Jupitère et leurs jumeaux Harry et Désirée. Au moins ils sont drôles, eux. Et aussi fauchés que nous. Voilà pourquoi on les voit si peu.

Tante Lucrèce est la tante de papa, donc notre grand-tante. Bettina, cette langue fourchue, a une théorie sur le chèque mensuel: tante Lucrèce paie moins d'impôts grâce à nous. La tata prend en tout cas un chien de plaisir à nous faire mariner, comme si elle nous offrait chaque fois le trésor du Grand Condor! Le chèque tombe à la dernière heure du dernier jour. Il n'est pas foudroyant mais, bon, on compte dessus.

Le jour de Noël a commencé rigolo. Tout était comme il faut: la neige dehors, le feu dans la cheminée, le sapin qui clignotait, Enid portait un survêtement rouge made in Père Noël. Basile est arrivé à 11 heures, le nez dégoulinant de froid, la frange blanche de gel, des sacs, des cadeaux plein le coffre de sa voiture. Il avait fait le marché. Des huîtres, un rôti, les lychees, des clémentines, du champagne. Tout comme il faut, oui.

− Je croyais qu'on devait finir les restes? a ronchonné Charlie.

− Où c'est qu'il reste des restes? ai-je gloussé.

− Il y a des boîtes d'épinards hachés! a répondu Charlie.

Les yeux de tante Lucrèce (elle était encore là, eh oui !) ont brillé devant les huîtres. Et ceux de Delmer devant le rôti. On s'est dépêchés de tout planquer. À midi, le téléphone a sonné; Bettina ne s'est pas ruée dessus, bizarrement. Elle est restée au fond du fauteuil orange à compter les boulouches de son pull; Geneviève a décroché.

— Les parents de Muguette ont dû reprendre la route il y a une heure. Cécilia demande si...

— Bien sûr. Qu'elles viennent, on les attend!

Bref, c'est un peu après que ça a commencé à se gâter, avec le disque que tante Lucrèce a sorti d'un paquet (cadeau de Charlie). On a toutes frémi parce qu'on espérait qu'elle l'écouterait chez elle.

Évidemment, il s'agissait du même crooner que d'habitude, avec son nom à coucher dans une barque

— Je peux? a-t-elle demandé, mielleuse.

— Bien sûr, ma tante, a dit Charlie, voix éteinte.

On s'est farci toute la face.

Presque. Parce qu'à un moment, un bruit dans la cuisine a attiré Delmer devant la porte et il s'est mis à japper et à clabauder. J'y avais enfermé Ingrid et Roberto. Tante Lucrèce, qui savourait *I love you baby and it is quite all right* comme on suce un bonbon, s'est redressée.

— Delmer!... Qu'y a-t-il dans cette cuisine?

Comme Delmer ne répondait pas, Enid a dit:

— Mais rien du tout.

Et pourtant il y avait du monde: Roberto, Ingrid, et aussi Mycroft et family. J'ai cligné un œil pour prévenir de ne pas ouvrir..

— Ce n'est rien, ma tante, dit Geneviève. Regarde!

... la porte!

Deux hérissons ont jailli de nulle part. Du fond des galaxies, on aurait dit. Poils et queues dressés, Ingrid et

Roberto faisaient penser aux têtes-de-loup du ramoneur. Delmer, lui, a trouvé que ça ressemblait simplement à des chats. Et comme il ne peut pas les souffrir, il s'est élancé à leur poursuite à travers les pièces, les couloirs, et les marches du Macaroni. Et Mycroft a déboulé à son tour pour grossir cette troupe de cinglés. La tata a jappé :

— Delmer ! Chéri !

Elle a démarré sur-le-champ une séance d'éternuements.

— Même, tchout, une pub pour tchout, chats à la télé, hoqueta-t-elle, ça me donne des allerg…

Muguette et Zerbinski ont alors carillonné à la porte, les bras chargés de houx. Quand elle a su que Zerbinski était infirmière, tata Lucrèce l'a noyée de questions : les tests d'allergie ceci, elle ne supportait pas les piqûres cela, mais les nouveaux avec sucres patati, c'était plus efficace patata…

Je suis montée à l'étage verrouiller la porte de l'escalier. On ne la ferme jamais, mais là, il valait mieux laisser félins et rongeurs régler leurs problèmes hors humains.

On s'est toutes retrouvées avec Basile dans la cuisine, pour avoir la paix, tante Lucrèce ayant kidnappé la pauvre Zerbinski au salon (« Et le chat, on en guérit ? » demandait-elle comme si Ingrid et Roberto étaient des virus). Et puis on avait intérêt à être nombreux, vu la montagne d'huîtres à ouvrir.

— Votre dinde d'hier soir, s'informa Basile en faisant sauter les coquilles de trois huîtres pendant que nous, on s'escrimait à seulement y glisser la lame du couteau, elle était farcie à quoi ?

Et pendant qu'Enid expliquait comment elle avait broyé le foie, Bettina comment elle avait tranché le croupion d'un coup de Fiskars, Charlie fendu le cou pour y glisser le pain écrasé qui... Muguette a dit soudain, d'une toute petite, toute petite voix:

— Je ne me sens pas...

Elle est devenue grise et elle est tombée dans les pommes.

*
* *

Basile emporta Muguette en voiture, klaxon hurlant, aux urgences de l'hôpital Florence-Cor de Villeneuve. Zerbinski l'accompagnait. Hortense voulut aussi mais Charlie s'y opposa.

La suite de ce 25 décembre se déroula dans une ambiance morose. D'autant que tante Lucrèce se crut obligée de retarder son départ...

Au bout d'une heure passée à rogner des os de dinde, des noyaux de lychees et leurs ongles, elles reçurent un coup de fil de Basile depuis un couloir des urgences. Il expliqua à Hortense — qui avait décroché — que Muguette avait fait une brusque chute de plaquettes. Hortense visualisa une brassée de petites plaques en verre qui dégringolaient dans ses chaussures, comme le ciment d'une benne.

— C'est quoi les plaquettes? dit-elle, sachant qu'elle ne comprendrait rien aux explications du docteur Basile.

Il n'expliqua rien, à sa grande surprise. Il dit simplement que ces plaquettes, un sang en bonne santé devait en contenir entre 200 000 et 400 000 par mm^3.

— Muguette est au-dessous.

— On peut pas lui en donner?

– C'est ce qu'on fait. Mais il faudra que son sang les fabrique lui-même. Ou Muguette sera obligée de rester à l'hôpital.

Basile demanda à parler à Charlie qui l'écouta en disant « OK », « d'accord », « entendu » et raccrocha en silence. Ce qui était plus angoissant finalement. Mais Hortense n'osa plus interroger personne.

À quinze heures, une fois gobée une belle quinzaine d'huîtres, tante Lucrèce se décida à rentrer chez elle. Elle quitta le fauteuil qui la tenait entre ses bras depuis deux jours, elle tira discrètement sur sa jupe qui rentrait dans ses fesses, puis elle appela :

– Delmer ? On part…

Elle extirpa le swamp-terrier de derrière le canapé et le souleva dans ses bras. Il fallut vingt minutes avant qu'elle rassemble ses affaires, celles du chien, ses vêtements, ses cadeaux, et fasse ses adieux à chacune en répétant qu'elle était navrée pour cette petite Violette (ou, euh, Rosette ?), qu'elle espérait que ce n'était pas grave, à cet âge-là on se remet toujours, ce n'est pas comme les vieilles dames, suivez mon regard.

On la raccompagna à la Twingo et, lorsqu'elle ne fut plus qu'un panache de fumée au bout d'un pot d'échappement au bout de l'impasse gelée, cinq bouches exhalèrent cinq panaches de soulagement.

Il y en eut même sept si l'on comptait Ingrid et Roberto derrière la vitre. Mais leurs soupirs ne se virent pas car il faisait chaud dans la maison.

Hortense remit du bois dans la cheminée. Et l'on regarda en silence les flammes.

— C'est grave de ne pas avoir de plaquettes ?

On ne répondit pas tout de suite à Enid. Charlie ne dit pas que Basile avait semblé préoccupé.

Un silence, encore. Les flammes.

— Si on jouait, dit soudain Enid, au jeu de *la mélodie du bonheur* ?

Elles n'y avaient pas joué depuis très longtemps Mais l'humeur était tellement lugubre qu'on aurait dit oui à n'importe quoi. Charlie donna le départ :

— À toi Enid. Quelle est la chose que tu préfères ?

La petite réfléchit.

— J'aime sentir mes pieds qui puent quand je retire mes chaussettes le mardi soir.

— Pourquoi le mardi ?

— On a sport.

— Peuh ! se récria Hortense. On ne joue pas à la « chose la plus dégueu », je te signale.

— Laisse-la, Bettina. Souviens-toi, maman avait accepté que tu dises que c'était faire pipi après que tu te sois retenue dans le car.

— J'étais petite.

— Enid est petite.

— Je ne suis pas petite !

Le jeu de la mélodie du bonheur, appris de leur mère dès l'enfance, était une méthode mi-Coué mi-Verdelaine pour se remonter le moral en ne pensant rien qu'à des choses qu'on aimait.

— Si tu avais droit au pipi, argua Enid, j'ai droit aux pieds qui puent !

— Geneviève ?

— Moi, ce que je préfère c'est frapper dans mon

coussin de boxe jusqu'à ce que j'aie une petite douleur dans le poignet gauche.

— Maso.

— Non. Ça veut juste dire que mon esprit, à cette
minute précise, baigne dans la sérénité.

— Moi, dit Bettina, ce que je préfère, c'est quand
un garçon me dit que... je lui mets la tête à l'envers.

— Et ça t'arrive souvent ? ricana Hortense.

— Pas plus tard qu'hier ! s'écria Bettina dont les
joues s'empourprèrent.

— Conseille-lui de goûter au sirop d'orgeat
d'Hyper Promo. Il saura ce que c'est d'avoir vraiment la tête à l'envers. Et l'estomac.

— Est-ce que je peux dire encore un truc ?
réclama Enid. La deuxième chose que je préfère,
c'est quand je dis que je m'appelle Julia.

Charlie parut scandalisée.

— Tu as honte de ton prénom ? Celui que ta mère
et ton père t'ont choisi pour la vie ?

— La vie c'est long.

— Vous savez bien que c'est le hasard s'ils m'ont
appelée Enid.

C'était vrai. Dans la chambre de la clinique où
Mme Verdelaine exhibait fièrement son nourrisson
anonyme, M. Verdelaine énumérait le dix millième
prénom du *Dico des prénoms*. Aucun ne leur plaisait.
Lucie Verdelaine avait alors formulé une espèce de
vœu :

— Le premier prénom de fille qui sera prononcé
dans cette chambre sera celui de ce bébé sans nom.

Il s'écoula quelques heures et quelques visites

durant lesquelles Lucie et Fred épièrent phrases et paroles. Elle avait eu quelques sueurs froides lorsqu'on lui apporta le dernier best-seller de Myrtille Trouvé. Mais le prénom ne fut pas prononcé.

Arriva le moment où Charlie, qui passait voir sa mère en sortant du lycée, alluma la télé à la seconde où un homme braillait sur l'écran : « J'en parlerai à Enid, ma femme. » Il s'agissait d'un film avec Jerry Lewis et Dean Martin. Lucie avait regardé Fred. Et vice versa. En chœur ils avaient lancé :

— Charlie, voici ta sœur Enid !

Charlie n'avait pas été étonnée outre mesure. Elle-même devait son nom à l'héroïne de *L'Ombre d'un doute*. La boucle se bouclait.

— Ingrate ! dit Charlie à sa petite sœur.

— Ouaip. Mais ça fait du bien de temps en temps de s'appeler Julia.

— Heureusement que maman n'a pas eu cette idée saugrenue avec moi ! s'écria Bettina, qui devait son prénom au célèbre mannequin à nez retroussé des années 50. Si la télé avait passé un western ou un opéra, vous me voyez m'appeler Stella Dallas ou Hildegonde.

— Et toi, Hortense ?

— Quoi ?

— La chose que tu préfères.

— Eh bien, c'est en ce moment. Tenir ce vieux Roberto sur mes genoux et vous écouter dire des âneries.

Le feu dans l'âtre avait l'air beaucoup moins lugubre, il grimpait presque dans le conduit, illuminait la pièce et les visages des cinq sœurs. Hortense eut l'impression qu'il ne pouvait rien arriver de terrible. Muguette allait obligatoirement guérir. Elle le devait.

— J'oubliais ! ajouta-t-elle. J'aime quand tante Lucrèce nous rend visite…

— Cette fille est folle.

— Parce que j'adore la voir partir !

Geneviève cessa soudain de rire et se mordit la joue.

— Écoutez.

— Non, pitié, tu ne vas pas…

Mais Geneviève avait parfaitement entendu. Tout d'abord, aucune n'osa se lever pour aller vérifier à la fenêtre.

— Vas-y, Enid. S'il te plaît.

Enid obéit. Mais le moteur de la Twingo était reconnaissable entre mille. Pas la peine de se le cacher. C'était bien tante Lucrèce qui revenait.

19

Mouillé en janvier
Rouillé en février

Édith

Aucune ne bougea. Ni Roberto sur les genoux d'Hortense. Ni Ingrid sur le crâne d'Enid. Peut-être, dans la cuisine, y eut-il un léger frémissement du côté des tuyaux de Mycroft. Et encore, impossible de le jurer.

— Qui a prononcé le nom de tante Lucrèce ? grogna Bettina.

— Celle-là est une sorcière !!! hurlèrent-elles en chœur.

Quand tante Lucrèce sonna, on mit un certain temps à lui ouvrir. Mais enfin, on ouvrit.

— Oh ! s'exclama Charlie, feignant la surprise. Tu as oublié quelque chose ?

Tante Lucrèce agita un papier en l'air, avec cette mine que devait avoir Christophe Colomb en ramenant l'or des Indiens qu'il avait massacrés.

— Le chèque !

À l'intérieur, tout le monde leva les yeux au ciel. On l'avait oublié, celui-là...

— Ce n'est pas un peu tôt ? glissa Charlie avec un rien de perfidie. On n'est que le 25.

L'humour était pour tante Lucrèce un genre de parent très pauvre. Elle prit la réflexion de Charlie au pied de la lettre, et l'air magnanime.

– Du tout. Tenez, mes chéries.

Charlie plia le chèque et le rangea dans sa poche en se demandant s'il fallait inviter leur tante à boire un truc chaud. Tout de même, il faisait froid, il neigeait, elle était revenue exprès…

Au même instant, Roberto vit Delmer, et Delmer vit Roberto ; quant à Ingrid, elle venait d'entendre un bruit du côté des tuyaux.

Hortense alla sournoisement ouvrir la cuisine. Les deux chats s'y engouffrèrent. Delmer se lança à leur poursuite. Tante Lucrèce émit un cri.

– Delmer ! Ah, ne me dites pas qu'il n'y a rien dans cette cuisine !

Elles ouvrirent de grands yeux innocents.

– Maintenant, il y a Delmer.

Tante Lucrèce démarra une séance d'éternuements. Les filles s'empressèrent autour d'elle.

– Ne t'inquiète pas. On va prendre soin de toi.

– On va te faire une tisane.

– Un grog.

– On va te traiter comme…

– Comme si tu étais une VIP !

– Voilà. Une VIP.

Tante Lucrèce sursauta :

– Comment ça, insolentes… Comment ça, une vieille pie ? !

Fin du tome 2